A NOSSA ALEGRIA CHEGOU

ALEXANDRA LUCAS COELHO

A nossa alegria chegou

Grafia atualizada segundo o Acordo Ortográfico da Língua Portuguesa de 1990, que entrou em vigor no Brasil em 2009.

Capa
Bloco Gráfico

Imagem de capa
Laguinhos, de Elisa Carareto, óleo sobre papel, 27 x 24 cm

Revisão
Marise Leal
Valquíria Della Pozza

Dados Internacionais de Catalogação na Publicação (CIP)
(Câmara Brasileira do Livro, SP, Brasil)

Coelho, Alexandra Lucas
A nossa alegria chegou / Alexandra Lucas Coelho. — 1ª ed. — São Paulo : Companhia das Letras, 2021.

ISBN 978-65-5921-052-7

1. Ficção brasileira. I. Título.

21-59096 CDD-B869.3

Índice para catálogo sistemático:
1. Ficção : Literatura brasileira B.869.3
Cibele Maria Dias — Bibliotecária — CRB-8/9427

EDITORA SCHWARCZ S.A.
Rua Bandeira Paulista, 702, cj. 32
04532-002 — São Paulo — SP
Telefone: (11) 3707-3500
www.companhiadasletras.com.br
www.blogdacompanhia.com.br
facebook.com/companhiadasletras
instagram.com/companhiadasletras
twitter.com/cialetras

Para Maria Teresa Belo
em memória

Com a beleza caminho
Com a beleza atrás de mim caminho
Com a beleza diante de mim caminho

N.

Sumário

DOZE

Alguns mamíferos sabem que vão morrer. Estes três sabem que podem morrer hoje.

— O sol tem cores que nunca ninguém viu — diz Ira.

Atrás dele, Ossi abre os olhos. À frente, Aurora também. De tão colados, a voz vibra nos três.

— Que cores? — pergunta Ossi.

— Cores sem nome, não as conseguimos ver — diz Ira. — Ouvi isto uma vez, lá na cidade.

— Há cores que não conseguimos ver?! — Aurora faz uma pala com a mão.

O sol dá-lhes em cheio. Três corações, seis pulmões, biliões de nervos numa cama de rede, tórax com tórax, boca com nuca, côncavos, recôncavos, convexos. Jovens como a jovem flor do cacto de Alendabar, a praia onde acordam.

Ossi segura o flanco de Ira, que segura o flanco de Aurora. Ela fecha os olhos, flete o joelho esquerdo. Ira ganha ângulo e entra nela, com Ossi às costas. Primeira vez que acordam juntos, primeiro sexo a três, primeira hora de luz.

Este dia esperou por eles para mudar tudo. Pacto.

∴

Um velho carocha avança na estrada que leva a Alendabar, piso de terra batida, esburacada, assim conservada para afastar estranhos. Toda a região em volta da praia tem um dono chamado Rei. Os seus visitantes chegam de helicóptero, tirando isso é raro um forasteiro vir. Além de má, a estrada termina numa vedação, como nas pequenas praias privadas. Nem pequena nem privada, mas só quem está a par rodeia o arame farpado.

Felix salta do carocha, enfim livre. Ainda não pode guiar e já mal cabe no carro, perna longa, juba dourada: cinge-a no alto da cabeça, distendendo os braços. Ao sol, refulge. Quinze anos! Como aconteceu isto?

Ursula, a mãe, sorri, não sabe. Pediu o carocha a amigos nesta parte do mundo, estaciona-o na última sombra antes da vedação. Da primeira vez que aqui veio, era tudo uma selva sem dono. Foi então que conheceu o futuro pai de Felix e hoje traz as cinzas dele. Morreu a muitos fusos horários daqui, onde mãe e filho moram. Felix nunca esteve nesta parte do mundo. Nunca ouvira sequer o nome Alendabar.

— Parece inventado — disse à mãe quando vinham no carocha, contornando os buracos cheios de chuva, espelhos do céu.

Olho na estrada, Ursula respondeu:

— Todos os nomes são inventados.

∴

Aurora sente o vaivém de Ira até à raiz do cabelo, emissão de nervo em nervo, pélvis, vagina, estômago, faringe, cocuruto. Está quase de barriga para baixo, perna direita esticada, perna esquerda fletida, joelho no queixo, já meio fora da rede. Quando fecha os olhos, tudo flutua, aéreo. Quando abre, o sol dá na flor do cacto, mais um botão. A palma da mão de Ira cobre-lhe a nádega, e a cada vinda a pélvis dela contrai, a cada ida a pélvis dela expande: bomba de sódio e potássio, impulso elétrico, motriz.

Ao mesmo tempo, Ira sente o vaivém de Ossi até à raiz do cabelo, emissão de nervo em nervo, ânus, próstata, estômago, faringe, cocuruto. De olhos fechados, é atirado às feras. De olhos abertos, é o amante do meio, homem atrás, mulher à frente. Quer cada luz deste dia, cada cor desta hora, o azul na flor do cacto: índigo. Floriu no dia em que ele nasceu, dizia a avó. Mas o cacto tinha milhares de anos já, vira o primeiro homem chegar, ou seria mulher? Passou tanto tempo que os equinócios deram a volta, as estrelas estão de novo onde estavam.

As mãos de Ossi estão nas ancas de Ira, bem mais estreitas do que as suas. Ossi é o mais pesado dos três, Ira o mais leve. Ossi nunca sentiu ancas assim, e entre elas tudo tão justo, músculo dando de si. Não vai abrir os olhos.

A qualquer instante, o Rei espera um convidado do Oriente a quem tenciona vender uma pequena parte dos seus domínios, a única que não lhe dá lucro. Antes de marcar a visita consultou o mapa celeste, como costuma fazer. Ouviu dizer que assim faziam os reis outrora, no Oriente, no Ocidente. O equinócio caía numa sexta-feira, calhava bem. Seria o início da nova estação, antes dita da colheita, agora do abate.

Hoje.

— Por que hoje? — pergunta Felix, a caminho da praia, pulando uma poça. — Era alguma data especial para ti e para o pai?

— Não — diz Ursula, um pouco atrás. — Mas achei que ele gostaria por ser equinócio. Norte e Sul iluminados por igual, o dia com a mesma duração da noite, doze horas de luz... Lembras-te disto?

— Sim, não me lembrava que era hoje. Então começa a Primavera.

— Aqui, o Outono.

— Ah, claro. Estamos ao contrário.

Um pássaro pousa adiante, bica uma gota de chuva. Felix reconhece-o do álbum que tem desde criança: um poupatuti! Não há dúvida, é o único com este arco-íris na cabeça. Vai mandar uma foto ao pai. Mas mal pensa isso dói tanto que o corpo pula sozinho. Pula e pula, a ver se gasta a dor. Parte de Felix continua a pensar como se o pai estivesse vivo. Se calhar há células que se recusam a saber. Algumas células dele não sabem que o pai morreu.

— E por que esta praia? — pergunta, pulando uma última vez. — Prometeste contar quando chegássemos.

— Ainda não chegámos — Ursula para.

Um zumbido de helicóptero enche o ar. Mãe e filho olham para cima, os mesmos olhos amarelos. Olho de bicho, dizia o homem que com eles formava um trio. Antes de ser pai de Felix, antes mesmo de conhecer Ursula, provara cinza humana em Alendabar. Assim se fazia a despedida dos mortos, então. Parte da cinza era misturada com fruta, todos comiam um pouco. Depois caminhavam até à foz para lançar o resto no encontro das águas, doce-salgada.

O futuro pai de Felix contou isso a Ursula nesta praia, no dia seguinte a se conhecerem, e perguntou-lhe se comeria as cinzas dele. Deu uma gargalhada para não parecer dramático. Detestava parecer dramático.

Tinha várias vidas, já. Ela, vinte anos.

∴

Duas copas de morambeira balançam no vaivém dos amantes, resguardo e resplendor. Há milénios que as morambeiras de Alendabar dão o braço a camas de rede, guarida a barcos de pescador, além de tudo o que nelas pousa, mora, se come ou bebe. Delas vem a fruta que se mistura na cinza dos mortos. E algumas ainda se transformam em totens ou grandes canoas. Mais antigo, só o cacto da flor índigo, também impossível de avistar noutras areias, doutras paragens. Algo que Ossi, Ira e Aurora desconhecem porque jamais viram outras.

Este equinócio decidirá se viverão para ver, doze horas de luz desde a primeira. Não planearam passá-la assim, é a hora mais solta no plano que têm. Vão acelerar nas próximas, em contagem decrescente até anoitecer. Um encaixado no outro que encaixa no outro, o zumbido no céu não os detém.

∴

Enquanto isso, nas pastagens do Rei, as reses sobressaltaram-se, com a antecipação auditiva de todo o bicho. Rara é a semana sem helicópteros aqui, e o coração delas continua a disparar por átrios e ventrículos, tão igual ao humano que o poderia substituir, só cinco vezes mais pesado. Se disparassem todas em debandada, num dia impossível, sem capatazes nem cercas, o chão tremeria por muitos quilómetros. São a infantaria avançada do abate, o grande exército dos involuntários.

E em breve os servos do Rei penetrarão horizontes limpos

de selva. Tão limpos como um sexo exposto, disposto para o espectador.

∴

O Rei sabe que alguém se aproxima antes mesmo de qualquer bicho. Um sinal no bolso e já sai do palácio, examinando as alturas. O terraço dá acesso a uma pista de aterragem em pedra translúcida, garimpada na mina junto ao rio. Primeiro aperitivo para quem chega do céu.

— Bem-vindo — murmura o Rei, com a sua boca das cavernas: buracos negros, estalactites. Acaba de localizar o pontinho do helicóptero que traz o convidado.

Eis senão quando um choro irrompe do interior, e o Rei acode, correndo. É pai de um varão recém-nascido, um ser vivo realmente seu. Não conhecia esta felicidade. Esta nova ferocidade.

Por toda a Alendabar correm relatos sobre o bebé do Rei. Ele o toma nos braços a cada choro. Ele muda a fralda de algodão de mil fios, lavada na cascata que os mais-velhos dizem sagrada. Ele examina os excrementos, cor, consistência, seria capaz de os comer, será. Ele não foi dotado de fé mas quer os deuses aos pés do seu fruto. Este mundo e o outro existiram até hoje para o reconhecer.

∴

Lá em cima, a dez mil pés, o convidado do Oriente exulta. Que cores, que águas, que transparência! Pequenas ilhas debruadas por corais com certeza ainda vivos: esmeraldas, cobaltos, fúcsias, limas. Nenhum sinal de embranquecimento, de colapso, tanto quanto avista. E o helicóptero curva para a baía mais majestosa em que já pôs os olhos.

— Alendabar!!! — brada o piloto.

Ganha ao voo o que os servos lá embaixo não ganham ao ano. Acima de tudo, o Rei tem pânico de morrer, não se poupou até contratar o melhor piloto. Tão desafogado é o contrato que a propaganda lhe aflora à boca, espontânea:

— A história do mundo começou em Alendabar, contam os nativos!

O convidado está disposto a concordar, perante o que vê. Uma orla florejante bordeja o areal, extensíssimo. Num extremo da praia, a falésia negra, encostada a um vulcão. No outro, a foz de um rio incandescente, que ao subir alarga muito e tem uma ilha no meio. Para o interior, é a grande razia das pastagens, mas o litoral continua denso, intacto, tudo o que este oriental tem em mente.

Valeu a pena contornar o planeta, pensa. Nem muros nem mastins, a selva será a melhor guarnição.

▲
▲ ▲

Cá embaixo, entretanto, o rio incandescente luta pela vida. Cardumes de guelra aberta descem para o oceano, onde dragões-marinhos abraçam cotonetes, latas de refrigerante dão à luz crustáceos, amores loucos, mutantes, que não se veem de helicóptero, nem num fim de semana. Ninguém mede o veneno no rio desde que o Rei chegou, com os seus planos de gado e minério. O gado carecia de muita água. O minério, de um dique para os resíduos, que pouco depois rebentou. E os ribeirinhos viram o rio vir como nunca, numa enxurrada castanha. Sementeiras, animais, casas, levou tudo. Uma mais-velha entrou na corrente para agarrar um dos seus bichos. O neto, ainda criança, correu atrás mas foi engolido, depois sentiu uma pancada. Quando voltou a si tremia na lama, um vizinho conseguira puxá-lo para a margem.

No descer das águas acharam a avó, trespassada por um ferro. Fora ela a dar nome ao neto. Um nome de há muito, encurtado para o dia a dia:

Ira! O olho puxado dos antepassados, testemunha de quanto crime, objeto de quantos mais, macho à força primeiro, fêmea à força depois, nem uma nem outro, agora.

A demanda de servos é muita nas terras do Rei. Para não ficarem escancarados faz falta algum mato, mas também não podem ficar fora da vista. A insatisfação propaga-se, há que vigiar cada faísca, travar o contágio. Portanto, ao chegar a Alendabar, o Rei mandou construir o alojamento dos servos atrás do matadouro, local cem por cento opaco, não vá algum convidado sair da rota, achar-se onde não deve.

Nesse alojamento chegou a dormir, logo no começo, um pescador já pai de adultos, viúvo recasado com uma jovem. Mal ela engravidara, tinham-lhe falado daquele homem, conhecido como Rei, que andava a comprar as terras ali em volta, e a contratar gente. Seria um sustento mais certo do que o mar. O pescador foi lá, ficou, estreou o alojamento dos servos. Tamanha se revelou a armadilha que os filhos tentaram libertá-lo. O que aconteceu a seguir nunca se esclareceu. Vinda da cidade, a polícia declarou o Rei vítima de assalto, pai e filhos afogados. Polícia vem, polícia vai, Alendabar aprendeu a calar-se. E o último filho do pescador nasceu:

Ossi! Quem vive do mar conhece o fundo, corpo de faina e arpão, a Terra aguarda quem a circunde, além da foz, além do vulcão, humano algum o dobrará, é jura.

A geradora do varão do Rei foi escrutinada nas terras altas de Alendabar. Óvulos, trompas, útero, genes, tudo apurado, em privado, antes da inseminação. Os pais da donzela, devotos de um culto, deram graças pela ausência de trato sexual. Corre em Alendabar que o Rei é adverso, não se lhe conhecem relações. Ela ficaria santa, com o futuro assegurado, não fosse ter morrido no parto, de infecção. Só uma mão segurou a dela até ao fim:

Aurora! Crista, crina ruça, tez de leite, sardas, caçula de casarão, mãe matriarca, irmãos tão mais velhos, trânsfuga, saltimbanca, canta para adormecer.

▲
▲ ▲

— *Eu vi o céu em fogo / o sol era azul / e o mar vermelho* — as pálpebras de Aurora descem.

O sono que se segue ao grande curto-circuito (espasmos, taquicardia, hiperoxigenação, redução da atividade do córtex, estouro de neurotransmissores: orgasmo).

— Há mesmo um mar vermelho — diz Ira.

Ossi estende o braço por cima de ambos, aperta-os contra o corpo. Também está quase a adormecer (oxitocina, dopamina, tudo abranda, até as morambeiras).

— Sol azul, não sei — continua Ira. — Mas nas terras geladas é possível ver três sóis, como na viagem de Upa-la.

Silêncio. Ossi respira atrás dele, Aurora, à frente. Ira não desiste:

— A minha avó contava que Upa-la foi a primeira canoa. Certa noite, há milhares de anos, a tempestade derrubou uma morambeira. De manhã viram-na flutuar no rio, presa pela copa. Se a soltassem, iria veloz na corrente. Portanto, com ela viajariam velozes. Puxaram-na da água, tiraram-lhe a casca, escavaram o tronco. Assim nasceu a primeira canoa, porque para tudo houve uma primeira vez. E deram-lhe esse nome, Upa-la.

Espreita para trás: Ossi dorme de boca aberta. Espreita para a frente: sob as pálpebras de Aurora acontecem coisas rápidas. E boas, porque ela sorri.

Ira espia o sol, semicerra os olhos. Daí a um minuto está a dormir.

▲
▲ ▲

Vinte servos aceleram no matadouro. O calor é inimigo da carne, tal como o sangue ou a faca mal afiada. Antes de o dia clarear, já todos os servos do Rei têm de estar comidos e bebidos, eufemismo para uma cabaça de farinha com água. Então, a radiosa estrela que a tudo dá vida desponta entre duas morambeiras, e cada um vai ao seu destino, mina, gado, selva.

A estes vinte calhou o abate das reses. Entre rampas e roldanas, ganchos e guinchos, não é raro esvaziarem intestinos com as mãos, pisarem descalços no fel. O acre do sangue entra-lhes na pele, no cabelo, por baixo das unhas. Patinha-se no sangue, respira-se sangue. O cheiro do sangue aterroriza as reses. Se não sabiam antes, sabem agora: vão morrer. Berram, esperneiam, são detidas à marretada.

Os matadouros oficiais usam pistola antes da degola, dardo direto ao cérebro. Caso falhe à primeira, vai-se furando até acertar. O objetivo é deixar a rês inanimada enquanto a acorrentam de cabeça para baixo, a faca corta a garganta e o sangue jorra. Está provado que o sofrimento prejudica o produto final, assim obtém-se melhor carne no prato e, de brinde, carimbo humanitário.

Entretanto, o Rei alimenta um universo paralelo, pelas traseiras. O seu método continua a ser a marreta no crânio, que requer várias marretadas, quase sempre. Não só a rês chega semi-consciente à sangria, como de crânio semiesmigalhado.

▲
▲ ▲

Felix observa a vedação em busca de um ponto fraco, alguma abertura para a praia.

— Incrível como fecharam isto — diz Ursula, mãos na cintura.

— Tens a certeza que não é privado?

— Tenho. A praia é uma reserva natural. Mas tudo o que está à volta foi comprado por um tipo a quem chamam Rei, contaram os nossos amigos do carocha.

— Rei? — Felix caminha para a direita. — Rei de quê?

— Sei lá. Do gado, da madeira. Da barriga dele.

Ursula caminha em sentido contrário. Vê cactos gigantes através da vedação. Nunca esqueceu estes cactos. Segundo a história da criação de Alendabar, eram os primeiros cactos do mundo, mas ainda iam florir, contava o pai de Felix. Então isso aconteceu em algum momento desde que Ursula o conheceu nesta praia. E como floriram, pensa ela. Que azul magnético.

— Felix! — grita de repente.

Achou a abertura na vedação.

ONZE

Um flap de asas e acordam de novo. Passaram horas, séculos? Ira mede o sol: minutos. Ficam os três na rede a ver o leque-branco subir no ar, maior predador alado de Alendabar. Petiscou algum vizinho por ali, inseto, réptil, e agora plana, abrindo a cauda que lhe dá nome.

— Tenho fome! — corta Ossi, pulando da rede.

Colhe uma moramba e corre para o mar, nu, negro na areia branca. Seguindo-o, Aurora grita:

— Espera!

Ira cai de costas onde até agora eram três.

Não tinham combinado passar a noite aqui, apenas fumar um cachimbo, pedir a graça dos céus. Mas ao sair de casa Ossi metera a cama de rede ao ombro, caso lhe apetecesse não voltar. É uma caminhada desde a encosta do vulcão, onde mora. Muitas vezes ata a rede nestas duas morambeiras, à vista do barco de pesca, que era do pai. Se as morambas estão maduras, abre uma. Assim fez ontem enquanto esperava Ira e Aurora. A lua preparava o seu auge, o vermelho luzia no barquinho. Quando Ira e Aurora chegaram, deitaram-se os três na rede, rodando o cachimbo, lua já para trás da duna. Quase podiam soprar as estrelas. E de manhã nenhum se espantou ao acordar ali nu, como se a rede fosse a cama natural do pacto, aquela que na primeira luz os despertaria, poro com poro, veia com veia, para enfim os encaixar. Cá estão, na manhã do equinócio. Onze horas de luz até ao poente.

Aurora corre pela beira-mar. De onde lhe vem tanta claridade? Pai escuro, mãe escura. Ira também saiu mais claro do que a mãe, mas pai não conheceu. Ossi é o mais negro dos três, de longe. Agarra Aurora ao colo, entra na água.

— Nããããão!

Ela grita, ri, cabelo a balançar. Com um golpe de anca ergue o tronco, monta Ossi, pernas laçando a cintura dele, e quando rebenta a onda submergem juntos.

Ira senta-se na rede, a vê-los. Sabe que se correr até lá voltarão a ser três. Nenhum deles quer ser dois com alguém. Pelo menos, não hoje. Não querem morrer, mas não têm medo de morrer, e ainda não têm vinte anos.

∴

A hélice do helicóptero passa rente à falésia. Segundo aperitivo para quem vem dos céus: adrenalina.

— Dinossauros gigantes andaram por aqui há cem milhões de anos — aponta o piloto. — Há pegadas na rocha. Eram bípedes.

O convidado do Oriente tenta imaginar Alendabar há cem milhões de anos. Se a falésia já cá estava, o mar também estaria. Foi muito depois de o continente único se dividir em dois, logo após esses dois se subdividirem, abrindo espaço ao último oceano. Talvez com alguns dinossauros dentro de água, mais difícil dar um mergulho. Mas, claro, não havia humanos, então.

Uma última volta sobre o palácio do Rei, e o piloto pousa. A porta do helicóptero abre, o convidado aperta o casaco de linho, quase cega com o brilho da pista. Que pedra é esta? Curto e grosso, o anfitrião aguarda no terraço, alguns degraus acima, polegares enfiados no cinto, como se estivesse num filme.

Um labrego, pensa o recém-chegado.

▲▲▲

Felix é o primeiro a transpor o buraco da vedação, rasgando um pouco mais a ganga pré-rasgada.

— Cuidado com esta ponta — diz à mãe, forçando o arame com a mão.

Ursula entrega-lhe o saco de praia com água, comida, toalhas. Sabe que será uma longa ida-e-volta, talvez o dia todo. Antes de passar a primeira perna para o lado de lá, segura contra o peito a bolsinha onde guarda as cinzas.

O filho enrola a juba e dá-lhe um nó, herança do pai, que nunca foi visto a usar pente ou escova. Já a altura é herança do pai e da mãe, mas apenas a mãe é esguia como ele. O pai só não chegava a ser um pançudo porque era todo grande, embaixo, em cima, além do cabelo. Ao longe metia medo, ao perto irradiava, olhos, dentes, gargalhada, braços de muito abraço, sempre a mexer no que se mexia, e no que não se mexia também.

Felix cresceu a achar que toda a gente queria viver com o pai, porque toda a gente não o largava. A verdade é que quase toda a gente estava um bocadinho apaixonada por ele. Alguns queriam ser filhos dele, outros irmãos, camaradas, melhores amigos, amantes, aprendizes. Toda a gente queria ser algo dele, porque ele fazia cada um sentir que era algo seu.

Só na escola Felix percebeu que todos os pais não eram assim. Por essa altura percebeu também que o seu pai era mais velho do que os outros, embora não parecesse, porque não era careca como muitos pais novos. Até que um colega disse: o teu pai tem a idade do meu avô, deve estar quase a morrer! Felix tinha seis anos, e esse não foi um bom dia.

▲
▲ ▲

O convidado do Oriente responde pelo nome de Zu. Já trabalhou para um rei global, triliardário da tecnologia. Afastado por excesso de independência, leia-se insurgência, decidiu seguir por conta própria. Isso o pouparia também ao tédio das corporações.

Tédio pede novidade, e o tédio com dinheiro está disposto a pagá-la. Não foi difícil ao talento de Zu achar investidores para pequenas novidades. Mas, entretanto, o medo do colapso substituiu o tédio, tornando o futuro urgente. Zu lançou-se pois na mais ambiciosa das suas ideias: captar crânios para refúgios naturais onde o futuro possa ser resgatado, dando-lhes condições inéditas de pesquisa. Enquanto as corporações fogem para a frente ou para o espaço, fazer uma imersão radical em alguns pontos da Terra. Radical ao ponto de desligar os aplicativos dessas corporações que estão a converter o cérebro humano em papa. Em suma, um arquipélago de microrregiões libertadas. E a prazo implodir o sistema, gerador e gerente do colapso.

Alendabar oferecia orla continental, riqueza aquática, formações palozoicas junto a um vulcão quieto, nenhum furacão recente, nem falhas tectónicas. Motivos bastantes para voar meio planeta, até este terraço.

— Zu, encantado — cumprimenta ele, na língua atual de Alendabar, aperto firme, vénia.

Eis algo que o Rei não pode comprar: elegância. Línguas estrangeiras, sim, seria só desencantar os melhores, mais pacientes instrutores, santos, mesmo. Mas o Rei sabe que, ainda assim, desistiria à primeira. Não consegue ficar sentado a olhar para um livro. Sentado, deitado ou em pé, tanto dá. Dá-lhe sono. Prefere gastar esse dinheiro em quem traduza, uma intérprete, espécie de sombra da sua sombra, de tão discreta.

Ele nunca a apresenta, nem se lembra do nome. Costuma dizer que os nomes são uma perda de tempo.

∴

Cinzas contra o peito, Ursula passa a segunda perna pelo buraco da vedação. Felix descalça as sapatilhas, enfia-as no saco e sobe a duna a correr.

— UAU!!!

Só agora tem uma vista da baía, porque a vedação foi feita no sopé da duna, ocultando o horizonte. Quilómetros de areia, ao longo do mar e até chegar à água, lá ao fundo. Uma praia monumental encostada à selva.

Sapatilhas na mão, Ursula segue atrás dele. Mas de repente, quando alcança o cimo da duna, fica sem ar. Preparou-se tanto para isto e afinal não estava preparada. Há dezoito anos a sua vida mudou nesta praia. Um homem saiu da água e mudou tudo. Ursula não consegue olhar o filho. Se olhar, as lágrimas vão cair. Arregala os olhos, inspira, a ver se passa.

— Mãe?

As longas pestanas de Felix sobem, descem, enquanto ele espreita a mãe, mas ela continua voltada para o mar. Felix entrelaça os dedos nos dela, volta-se para o mar também. Ursula cerra os dentes, aperta a mão do filho. Ficam os dois assim, em cima da duna. Imenso para a esquerda, imenso para a direita, imenso em frente. Nunca estiveram tão juntos, e tão sozinhos.

∴

Ira corre para a rebentação, lança-se sobre Ossi, que está sobre Aurora, pernas, braços, gritos, risos. Voltam a ser três.

Não há derrota enquanto houver mar, pensa Ossi. Mesmo que o plano de hoje falhe, mesmo que morram antes do poente, não será o fim. Porque alguém virá no lugar deles.

— Alguém virá! — grita, de punho no ar.

— O quê?! — Aurora salta-lhe para os ombros, ele mergulha, ela solta-se, meio-mortal à retaguarda.

Mas não vão morrer, nem ser derrotados, decide Ossi, abrindo os olhos debaixo de água.

Mais difícil decidir a cor do mar aqui.

Ira diz que um dia achará a palavra para essa cor. Nasceu hipermétrope, desfoca a ver ao perto, mas gosta de palavras, guarda-as na cabeça, anota quando já são muitas. Costuma andar com um caderno na bolsa. A letra de Ossi é torta, Aurora nem tenta, Ira escreve pelos três, sempre ao ar livre, a interrogar o céu. Foi a avó quem o ensinou a fugir para cima, quem lhe mostrou que o céu, noite e dia, tem caminhos, tem os ancestrais lá, e o futuro também. Olhar para cima ajudou Ira a não querer morrer, salvou-o do que se passava cá embaixo. Agora, é como se estivesse imune, já ninguém lhe pode fazer mal, mesmo que morra. Portanto, está preparado para hoje.

E Aurora, entre os flocos de espuma que esvoaçam na areia, duas mãos no ar, duas mãos no chão, vira o mundo do avesso num flic-flac.

Muitos equinócios atrás, o futuro pai de Felix foi sozinho por este mar. Quando voltou, chovia tanto que ele mal conseguia abrir os olhos dentro da canoa. Tentara construí-la como a dos ancestrais de Alendabar. O casco escavado num tronco de morambeira, selado com resina. À esquerda, um pequeno flutuador de tiba, madeira mais leve. Atada entre o casco e o flutuador, a plataforma das provisões: água, carne fumada, frutos secos, farinha de tutum, essa raiz que vem do centro da terra para ser comida de mil maneiras. E erguida acima de tudo isto, tão firme quanto flexível, uma vela de jalurana, fibra com que até hoje se entrelaçam esteiras e cestos, se cobrem as casas. Ele mesmo escavou, esculpiu, entrelaçou, passou muito tempo a aprender com a gente de Alendabar, entre a foz e o vulcão, antes de se fazer às águas. Calculara que a viagem durasse um mês mas não resistiu a desembarcar em várias ilhas, e na volta apanhou já a estação das chuvas.

Tinha então cinquenta anos. Trinta como arqueoastrónomo. Estudava a relação dos antigos com o céu a partir do que sobrevive em terra. Incluindo, nesta parte do mundo, testar ele próprio rotas, técnicas, constelações, os cantos de navegação passados em segredo, quando conduzir uma canoa era o ofício mais prestigiado, e os mares eram mapeados com grelhas de pauzinhos, conchas no lugar das ilhas. Andava a preparar uma série de cartas terrestres-celestes, um compêndio dessa relação nos últimos cinco mil anos, desde os primeiros templos alinhados com sol e lua, erguidos a todo o custo humano, do alto das cordilheiras aos desertos, das selvas à ilha brumosa em que lhe calhara a ele nascer. Difícil não ler uma predestinação no seu nome. Muita gente pensava que nem era o de nascença, tão bem assentava. Mas era mesmo, e isso devia-se a ter sido dado por dois nómadas, dissidentes antinacionalistas: seu pai e sua mãe. Queriam um nome universal, escolheram Atlas.

Exausto da odisseia, enredado na corrente, Atlas demorou a pisar a areia de Alendabar. O seu regresso, mal a canoa ficou à vista da praia, alvoroçou as crianças, que lhe chamavam Gigante porque era o homem maior que conheciam. O mar não tinha comido o Gigante! O Gigante estava a voltar! A chuva já abrandara. Entre a gente que acorreu, havia um casal da cidade que se fizera à estrada num carocha, não prevendo o dilúvio. Vinham mostrar a praia a uma estudante estrangeira, filha de velhos amigos.

Foi assim que Atlas viu Ursula, e Ursula viu Atlas, pela primeira vez.

∴

— Então Upa-la fez várias viagens — diz Ira, retomando a história da primeira canoa.

Os três brilham, deitados na areia molhada, cobertos de gotas, pés na rebentação. Daqui a nada o sol vai ficar quente demais para isto.

— No começo eram viagens curtas — prossegue ele. — Aprendiam a orientar-se pelas estrelas, pela direção dos pássaros, pela cor da água, a forma das nuvens…

— O vento — diz Ossi.

— E o vento nas nuvens deu-lhes a ideia de uma vela, para irem mais rápido — continua Ira.

— Tinham panos? — pergunta Aurora. — Como faziam a vela?

— Com fibra de jalurana.

— Ah! Então posso fazer uma! — alegra-se ela. — Já fiz cestos, esteiras…

Espreguiça-se, esticando os longos braços para trás, até à ponta dos dedos, tronco a escaldar (pequenos mamilos rosados, baixo-relevo da barriga, nó do umbigo). E de repente dá um grito porque bateu em algo duro.

Os três voltam a cabeça: uma carapaça a espreitar da areia. Todos os anos, no auge do calor, milhares de tartarugas-rosa desaguam em Alendabar para a desova. Mas, nos últimos anos, muitas têm morrido, e as carapaças vão ficando semicobertas pelo vento. Há tartarugas-do-mar pretas, verdes, amarelas, castanhas, quase vermelhas. O rosa destas nunca foi avistado fora daqui.

Ossi deita de novo a cabeça, fecha os olhos.

— E depois de fazerem a vela? — pergunta.

— Quando já se sentiam fortes, preparados, partiram numa longa viagem — conta Ira. — A colheita tinha sido má, precisavam de comida. E o interior estava cheio de inimigos, restava o mar. Também queriam ver onde todo este mar ia dar, porque isto foi há milhares de anos, não sabiam das outras pessoas do mundo. Navegaram meses, levando o que podiam, incluindo animais.

— Vivos? — pergunta Aurora.

— Até serem cozinhados.

— Na canoa?! — ela arregala os olhos.

— Sim, faziam um fogo na plataforma da bagagem. Podiam salgar a carne, fumá-la...

— E quando chovia? — continua ela. — Antigamente não chovia muito?

— Muito mais — responde Ossi. — Olha agora: estamos à espera que chova desde a lua passada.

— Ontem choveu — diz Aurora.

— Ontem choveu dez minutos — diz Ossi. — Deu para encher os buracos da estrada. Deve ter sido encomenda do Rei, a ver se ninguém vem aqui meter o nariz.

— Hoje é bom que ninguém venha, mesmo — Ira põe-se em pé num pulo. — E por falar nisso, vamos rever o plano à sombra?

Aurora está a ficar vermelha.

▲
▲ ▲

— Pronta? — pergunta Felix.

— Pronta — diz Ursula.

Mãos apertadas, mãe e filho desatam a correr duna abaixo, um calcanhar afundando na areia, o outro no ar.

— Ahhhhhhhhh! — grita Felix. — Nunca vi areia tão fina! Parece farinha!

— E dunas tão altas? — grita Ursula.

— Só daquela vez no deserto.

— Mas aí íamos de camelo.

— Pois era... Uuuuuhuuuu!

Felix quase cai, arrastando Ursula. Depois tropeçam os dois numa raiz, rebolam à gargalhada.

As cinzas estão numa caixinha, embrulhada no lenço favorito de Atlas, tudo dentro da bolsa a tiracolo. Mas Ursula continua a segurá-la contra o peito, só a larga para sacudir a areia do cabelo, negro, liso até à cintura. Primeira coisa que Atlas viu nela ao sair da canoa e por segundos suspendeu toda a exaustão: de onde aparecera aquela espécie de índia, alta como um totem?

Ursula entrança o cabelo, arregaça a bainha das calças.

— É melhor irmos junto à água, na areia dura — diz a Felix.

Ele tira calças, camisa, fica em fato de banho, penugem loira nas pernas, corpo branco, branquíssimo.

— Assim vais queimar, vai de camisa — diz ela.

— Mas não vamos nadar primeiro? Já viste este mar?

Ursula sorri:

— Ainda nem chegaste perto.

— Não queres mergulhar?

— Já vemos.

Felix agarra o saco de praia, corre na direção da água, rodando o corpo pelo caminho, para abarcar tudo em volta.

— Olha aquelas árvores! — grita, já longe, apontando o começo da selva.

Ursula volta a cabeça, vê as morambeiras. No instante seguinte tem os olhos cheios de água. Tapa a boca com força, mas desta vez não consegue. Cai de joelhos na areia.

Há dezoito anos, quando Atlas saiu da canoa a escorrer água, a gente de Alendabar ajudou-o a vir até estas copas, para que se recuperasse abrigado. Os homens deram-lhe de beber, as mulheres esfregaram-no com uma pasta, as crianças brincaram com o que sobrava, as orelhas, o cabelo, os pés enrugados. Ele ria e chorava, ainda incapaz de falar, boca rebentada do sol, do sal, os dentes brancos na cara queimada, um olhar azulíssimo que parecia ter visto tudo, e querer ver mais. Ursula estava hipnotizada, pelo olhar, pela cena, um pouco atrás da multidão, embora os amigos do carocha já a esperassem no cimo da duna. Ao fim de algum tempo, quando conseguiu cumprimentar um por um, Atlas perguntou-lhe quem era ela. Tentou uma língua, depois outra. Tinham uma em comum. Ursula disse só que era estudante, nem de onde, nem do quê, tão muda estava. Via um homem que era amado e atravessara o mar sozinho. Ela não queria ir embora, queria conhecer aquele homem. E como se adivinhasse, ou talvez visse, Atlas disse que a podiam alojar, perguntou-lhe se queria ficar para o dia seguinte. Coração desembestado, Ursula ouviu a própria voz dizer, sim, quero.

Química, alquímica. Na língua antiga de Alendabar isso tem um nome, até hoje usado, dalu damu-rai. Algo como: tu para mim.

DEZ

De volta à rede, a sombra deu frutos. Não apenas morambas, que estão no ponto, mas o reencaixe de Ira, Ossi e Aurora em várias posições, frente com boca com costas, boca com frente com costas, costas com frente com boca, até não saberem o que é o quê.

É bom.

— Se eu engravidasse, como é que a gente ia saber? — pergunta Aurora, afogueada, transpirada, Ira entre as pernas dela, Ossi no peito.

— Como é que ia saber o quê? — pergunta Ossi.

— Quem era o pai.

— Não ia saber — diz Ira.

— Ia ser dos três? — diz Aurora.

— A gente não vai engravidar — diz Ira. — A tua menstruação não acabou agora? Mas se a gente engravidasse, ia ser dos três.

Ossi desce para a barriga dela:

— Ia ser dos três, claro.

— Não — diz Aurora. — De nenhum. Combinado?

Ira e Ossi levantam a cabeça, espreitam a cara dela, voltada para o céu.

Dez horas para o poente.

— Pareces uma santa — diz Ossi.

— Pareces mesmo — diz Ira.

Aurora agarra no mato do púbis, rijo, ruço e continua a falar para o céu.

— As santas não têm pelos à mostra. Nem dois homens entre as pernas. Nem abortam.

Felix desata o nó da juba, cascatas louras caem nos ombros, pelas costas, e ele pisa a água.

— Mãe! — grita. — Está incrível!

— Boa! — grita Ursula da areia.

Acaba de estender a toalha em frente ao mar. O tempo não corre sempre à mesma velocidade. Por exemplo, agora é como se estivesse parado, sem saber para onde ir. Ela precisa de ficar aqui sentada um bocadinho.

Quando caiu de joelhos na areia, à vista das morambeiras, Felix não deu por nada, já estava perto do mar. Ursula chorou o que ainda não chorara. Até que, ao levantar a cabeça, viu uma grande pedra cor-de-rosa. Não tinha reparado nela antes, mas naquele ângulo o sol incidia de tal modo que parecia acesa. Era uma estranha pedra arredondada, semienterrada. Então, Ursula lembrou-se do que Atlas contara, como milhares de tartarugas-rosa vêm desovar a Alendabar, a praia onde nasceram. E imaginar isso, e isso ser assim desde os dinossauros, estancou as lágrimas. Fê-la afastar a areia da carapaça, sentir o calor do que foi uma tartaruga com cem ovos na barriga, que um dia seriam cem bebés a correrem para a água.

A morte é muito antiga mas não tanto quanto a vida, pensa agora Ursula, seguindo o filho no mar. Que sorte ter vivido no mesmo nanossegundo em que Atlas passou pela Terra. Mais ainda, com ele, desde o primeiro dia em que se viram. Mais ainda, a célula de ambos transformar-se em pernas, braços, juba: Felix.

Toda esta vida, já sozinha para sempre, a entrar no mar. Todo esse mistério que já ninguém alcança.

∴

Nas terras do Rei, prossegue o abate. Abate das reses até fim da manhã, abate do mato, dia fora. Sendo que o abate do mato é para o gado pastar até ser abatido. Ou seja, o abate de hoje serve o abate de amanhã.

E, entretanto, o gado vivo serve o abate do próprio céu. Toneladas cósmicas de bosta ascendendo, rescendendo sobre a cabeça dos terráqueos, aqueles que nunca terão oportunidade de ver a sua estrela explodir daqui a 4,5 biliões de anos, porque terão sido extintos muito antes, em parte graças ao gás metano na bosta, fora o óxido nitroso do arroto e da flatulência.

Para não haver perda de tempo com nomes que custam a decorar, e têm problemas de grafia, homofonia, homonímia, cada servo recebe um número ao ser contratado, logo inscrito na farda, bem mais simples. À medida que uns se perdem por acidente, invalidez, doença ou morte, circunstâncias que nas terras do Rei ocorrem em grande ritmo, há sempre outros que chegam para os substituir. E os números não são reutilizados, o que permite ao Rei uma noção imediata de quantos servos Alendabar já lhe custou.

O Rei nunca pensa no que ganha com eles mas no que lhe custam. Toma nota da despesa para a descontar no pagamento, incluindo farda, facas, marretas, cada utensílio. De despesa em despesa é que os servos se fazem. E o medo faz de rédea.

De resto, estão proibidos de dizer os nomes uns aos outros, tal como há séculos estavam proibidos de falar na língua antiga. Pois os servos de hoje tendem a ser filhos dos servos de ontem, pais dos servos de amanhã. O Rei costuma dizer que uma boa equipa tem a sua ciência. Os vinte que trabalham no matadouro, por exemplo, têm idades variadas. Tecnicamente, alguns são mesmo crianças.

Um hominídeo desce das árvores, o cérebro aumenta, o polegar roda, ele afia uma pedra na outra: primeira faca. Eras depois, ser matador é profissão, gravada em templos que humanos visitarão outras eras depois, inclinando-se para a tinta semissumida, mas onde ainda é possível ver a matança de um mamífero, começando pelo afiar da faca. Os humanos da era digital farão ah! e oh!, impressionados com aquela violência primitiva, enquanto a não muitos quilómetros dali uma faca corta a garganta de mamíferos em série, que já cheiraram o sangue dos anteriores, e sabem que vão morrer.

O que o primitivo fazia às claras, em pequeno número, o civilizado faz em larga escala, sem ver. Mas não é qualquer faca que dá conta de meia tonelada de carne, começando pelo golpe na garganta. Como também não é qualquer servo que o sabe dar. Requer mão, quem sabe, dom. Por isso continua a existir o posto de matador, e o Rei concede-lhe uma gratificação anual. Foi dos primeiros servos a chegar quando começaram a dar à costa aqueles barcos atulhados de gente. Vinha empilhado sobre outros, trazia um nome do outro lado do mar, e até hoje é assim que velhos e novos lhe chamam, sem que o Rei saiba.

Porque há muito que o Rei não sabe. Por exemplo, como a garota que veio ajudar durante a gravidez ficou a conhecer o palácio e os seus domínios. O quanto ela era próxima da grávida. Ou que o seu nome é Aurora.

∴

— A mãe dela queria uma filha branca como eu — conta Aurora, fixando uma nuvem. — Então, escolheu o nome Clara quando engravidou. Eu tinha um ano e tal.

Balançam os três na rede, sob o céu do equinócio.

— E a Clara saiu branca? — pergunta Ossi.

— Não, bem escura. Acho que a mãe sempre teve raiva de mim por causa disso. Nunca me deixava brincar com ela, dizia que eu andava sempre aos pulos, que fugia de casa e era o diabo. Uma vez viu-me a fazer piruetas em cima do muro, e disse: és o diabo. A Clara era muito pequenina, parecia uma boneca. Eu queria que ela viesse morar em minha casa, já morava lá tanta gente. Pedi aos meus pais e tudo, só que eles nem se davam com os dela. As pessoas na rua é que diziam que a mãe da Clara rezava a Deus por uma filha branca. Mas depois começámos a brincar escondidas, as duas. A Clara dizia que queria crescer depressa para ficarmos sempre juntas.

Aurora fecha os olhos. A rede range no balanço, no silêncio.

— As estrelas estão sempre ali — diz Ira, roendo um caroço de moramba. — A gente só as vê de noite, mas elas estão ali noite e dia. Guardam a Terra como família. E a gente é pó de estrelas, mesmo. Os ossos, tudo. Somos o resto de estrelas que explodiram.

— Era a tua avó que contava? — pergunta Ossi.

— Não, ouvi lá na cidade. Mas acho que a minha avó sabia.

Aurora abre os olhos.

— É bom pensar nisso — diz. — Que as estrelas são da nossa família.

— Somos muito antigos — continua Ira. — Muito mais do que os dinossauros. Cada um de nós é parte do começo do mundo. Uma parte do segredo. Se calhar o trabalho da gente é adivinhar esse segredo.

— E a viagem? — pergunta Ossi, acabando os frutos secos que Aurora tinha trazido.

— Qual viagem? — pergunta Ira.

— Da primeira canoa. Como era o nome?

— Upa-la. Foi até onde o mar congela. — Ira atira o caroço para longe. — Mas já não temos tempo para a história toda.

Franze os olhos, senta-se na rede:

— Será que estou a ver bem…?

Ossi senta-se também.

— O que estão a ver? — pergunta Aurora, ajoelhando-se.

— Ali na beira do mar — aponta Ira. — Parece alguém louro.

— Sim — diz Ossi.

— Uma mulher — diz Aurora.

— Não — diz Ossi, que vê melhor. — Acho que é um rapaz.

Devia haver uma cor entre verde e azul, pensa Felix, diante daquela massa de água. A esta hora, pelo menos, não consegue decidir se verde, se azul. Que horas serão? Manhã cedo, mas já não tão cedo. Onde andarão as pessoas todas desta terra? Haverá pessoas? Ninguém no mar, ninguém na areia, além da mãe. Nunca esteve num lugar assim.

Levanta um pé, depois outro. O fundo é branco, macio como veludo. Micropeixinhos ondulam na transparência. Felix está a adiar o mergulho porque depois já terá passado. Já não terá aquela sensação do corpo seco a entrar na água. Uma água sem fim, deserta.

A melhor coisa do mundo, pensa, é o momento antes dessa coisa.

∴

Zu está a morrer de tédio. Se o Rei não calar rapidamente aquela boca das cavernas, Zu não responde por si. Não responde pelo próximo bocejo. Até agora conseguiu apertar os maxilares, contendo todo o fastio de meia hora de conversa que lhe pareceu meio século. Que homem secante, que ruminante! Não parou de falar de reses, de ração, de importação, do preço da carne, de como antes de chegar aqui só havia selvagens que nem casas de tijolo sabiam fazer.

Só pensar que semelhante figura será seu vizinho dá-lhe vontade de desistir. Calma Zu, diz para consigo, mantendo o sorriso. Vais pôr no contrato uma distância mínima de aproximação. Vais deixar claro que não haverá espaço para convívios.

Continuam sentados no terraço. Duas servas de touca e farda trazem refrescos. O Rei age como se elas não existissem, nem um olhar, nem um obrigada.

Imbecis deste calibre deviam ser postos de quarentena, pensa Zu. Uma quarentena perpétua, porque fazem pessimamente à saúde. Zu, por exemplo, passa depressa do tédio à irritação. Daqui a pouco já não ouve nada, verá vermelho. Não por acaso tem o cabelo branco aos trinta. Todo branco, branco-neve.

E que é isto agora? Um choro?

O Rei salta da cadeira.

— O meu filho. Volto já.

Descendência. Ele tem descendência, pensa Zu. Assim chegámos ao colapso.

⁂

— Parece um rapaz novo — diz Ossi. — Agora mergulhou.

Em pé junto à rede, os três sondam o horizonte.

— Não me lembro de ver turistas aqui — diz Aurora.

— Vi poucos, e pesco desde criança — diz Ossi. — Há alguém mais acima, na areia, mas não consigo ver bem. Ah, levantou-se. É uma mulher.

— Estou a ver — diz Aurora. — Tem um biquíni azul.

— Pelo menos não é um grupo — diz Ira.

— Sim, não vejo mais ninguém — diz Ossi.

Ira procura os calções:

— Vamos. Tenho de me ir arranjar.

— E eu de ir ao peixe — diz Ossi.

Desamarra a cama de rede, enrola-a no ombro.

— Ainda vais sair no barco? — pergunta Aurora, enfiando o vestido curto, um vermelhão em cada coxa.

— A ver o que apanho, para a minha mãe. Há tempo, não me atraso.

Ela enrola um lenço na cabeça, em forma de turbante.

— Repararam no helicóptero?

— Sim, veio à hora — diz Ira, já de chapéu.

Tem o cabelo tão comprido quanto Aurora, mas escuro, macio. Pequena boca em relevo, e aqueles olhos, quase frestas, cinza, mel. Não fosse o tronco nu e seria difícil dizer se homem, se mulher. Bonito-bonita. Pena que tantas palavras obriguem a escolher, pensa desde criança.

Os três abraçam-se, só respiração, só corpo (oxigénio, hidrogénio, nitrogénio, carbono), até esse pó de estrelas lá no começo.

Nem a vida na Terra teria começado sem estrelas, nenhuma bactéria, nenhum coração. Três corações a bater juntos: afastam-se. Ira segue para a direita, em direção à foz, Ossi vai desamarrar o barco, Aurora corre para a duna.

O sol avança sobre as copas. Não restam vestígios de que alguém ali dormiu. As estrelas sabem, mas há biliões de anos que as estrelas guardam segredo. Quando hoje voltarem a ser vistas, nas suas constelações (os Três Peixes, o Grande Punhado de Areia), já tudo estará decidido.

Será o fim de um reinado em Alendabar. Ou o último equinócio de Ira, Ossi e Aurora.

▲
▲ ▲

Ursula levantou-se para ver melhor Felix. Este mar parece manso mas tem correntes. Ela mesma se enredou numa, a primeira vez que aqui esteve.

Há dezoito anos, acabado de regressar na canoa, ainda sentado na areia, Atlas explicara-lhe que havia uma aldeia em cada ponta da praia. Ele já tinha morado junto à foz, agora morava debaixo do vulcão, tinha lá uma pequena casa, uma pequena horta. Os vizinhos mais próximos, que haviam tomado conta de tudo durante a viagem, insistiam em recebê-lo nessa noite, para que se recuperasse, mas poderiam estender uma rede para Ursula, também, junto das filhas. Ela subiu a duna para dizer aos amigos do carocha que ia dormir ali. Eles não contestaram demasiado, viam na cara dela o que estava a acontecer. Além do mais, não haveria perigo para uma estrangeira.

Tudo era novo, e foi muito. Mas agora, dezoito anos depois, enquanto segue o filho a nadar, o que Ursula lembra é o momento em que acordou naquela rede, naquela aldeia desconhecida, biquíni por baixo do vestido. Em volta, a casa dormia,

Atlas não estava à vista. Ela caminhou até à praia, o céu diáfano, como se não tivesse rebentado na véspera, e o mar igual, uma seda. Suada do caminho, aflita para urinar, Ursula mergulhou. A água estava morna, os dedos dela tocavam em peixinhos, o sol penetrava o fundo, enchendo tudo de cor. Era boa nadadora, foi indo, mas uma corrente apanhou-a. Quando deu por si, não conseguia voltar. Teve um momento de pânico, depois pensou como seria estúpido acabar assim. Tinha ficado para conhecer o homem que atravessara este mar, ia conhecê-lo. Lutou em várias direções, embateu num recife, agarrou-se a ele. Foi avançando, até achar o fim da corrente. Nadou para a praia com as últimas forças que tinha, tombou na areia, arfando. Que fácil era morrer. Que gratidão estar viva. Queria tudo o que estava por vir.

— Mããããããe! — grita Felix, da água. — Vem!

Ursula acena:

— Vou já!

E desce para o mar.

O Rei dá ordens para que levem o convidado aos seus aposentos. Poderá repousar e depois do almoço será conduzido pelo terreno à venda, incluindo a ilha fluvial, que Zu faz questão de percorrer. Alguém o irá acompanhar no jipe, no barco e na caminhada. Ao pôr do sol, o helicóptero voltará para o devolver à cidade.

A verdade é que o Rei está tão farto de falar com Zu, via intérprete, como Zu está de o ouvir. Farto de falar, e de ver Zu. Habituado a comerciantes, não esperava um guru da tecnologia. E tão jovem, tão elegante. É cansativo.

Além de que o Rei tem um encontro inadiável, o único que não é ele a marcar, e com o qual não ganha dinheiro, ao contrário. Nunca sabe quando vai ser, depende da outra parte, tão errática. Ela marcou o dia de hoje, já a vinda de Zu estava acertada, mas o Rei pensou logo que tudo era compatível. Pois que seria da vida sem o arrepio de um segredo, sem uma subjugação?

O labrego que Zu viu não é tudo o que há para ver, como nunca é. Qualquer labrego pode esconder um abismo, tal como qualquer abismo pode esconder um labrego. Se o Rei quer ganhar dinheiro com Zu, nem por isso prescindará do seu grande prazer, aliás, o único. Só de pensar nisso, as bem fornidas partes do Rei desafiam a gravidade.

Eis algo, para além de elegância, que o Rei também nunca exibiu: a sua genitália. Na coleta para a inseminação era só ele e ela. Jamais alguém a viu em ação, e jamais alguém verá.

NOVE

Ossi puxa o barco até ao mar, salta lá para dentro. Vê a mulher e o rapaz louro na água, muito ao fundo. Rema na direção oposta à deles.

Tem um pequeno motor e pouca gasolina. Para quem mora debaixo do vulcão, a coisa mais cara do mundo é a gasolina. É preciso ir comprá-la à cidade, é longe, é pesada. Ossi tenta gastar o mínimo, só quando fica cansado ou o mar está mais crespo. Não hoje, o mar parece um menino, os remos dão conta, tudo desliza, água, céu. Um par de peixes e ala para casa.

Ainda não pescou desde a chuvinha de ontem. A terra vai precisar de bem mais, mas Ossi teme o que possa vir com a chuva grande, porque há um ano o mar ficou cheio de lixo à superfície. Os remos batiam em garrafas de plástico, copos de plástico, sacos de plástico, contentores de plástico, Ossi tirou a camisa, mergulhou em apneia. Babis, pomeias, tíndaros, todos os peixes de Alendabar nadavam atordoados no meio dos obstáculos. Era uma valsa de milhares de plásticos, alguns transparentes, delicados como seres vivos, outros espessos, opacos, todos desafiando a eternidade na água dos mortais. Sacos de ração embatiam em recifes de corais, aí ficavam. Uma embalagem de adubo veio bailando, colou-se à cara de Ossi. Contentores de gasolina flutuavam, depois de terem alimentado geradores, frigoríficos, o arsenal de milhares de cabeças de gado. E, quando o mar e o sol desmanchassem todo esse lixo, ziliões de micropartículas continuariam a alojar-se no tecido de cada animal, de cada planta, no sal deitado na comida dos humanos. Lixo local, global, cósmico, advento de um futuro tão anunciado que nenhuma esfinge, nenhuma sibila hoje arranjaria emprego. O mal de toda a parte estava aqui. O mal daqui estava em toda a parte.

Ossi sabe que isto foi há um ano porque era equinócio, como hoje. Nove horas para o poente.

▲▲▲

— E agora, já podes contar por que este lugar? — pergunta Felix dentro de água, cabelo flutuando em volta dos ombros, como uma grande gola dourada.

Ursula mergulha a cabeça, para refrescar.

— Porque foi em Alendabar que nos conhecemos, o pai e eu.

— Julgava que tinha sido na ilha onde casaram.

— Não. Nas férias da faculdade vim visitar os nossos amigos do carocha, e eles trouxeram-me a Alendabar, para eu ver esta praia. Entretanto, desabou um dilúvio, abrigámo-nos debaixo das árvores e calhou o teu pai chegar de canoa. Nunca mais nos separámos. Já tínhamos perdido tempo demais, que era o tempo todo em que não nos tínhamos conhecido.

— Mas eras tão nova, não podias tê-lo conhecido antes.

— Pois, mas ele já tinha vivido muito.

— Não tiveste medo de ficar com ele assim, sem o conhecer?

— Ele não me convenceu de nada. Se depois eu visse que era um erro, ia-me embora, não? O que tinha a perder?

Difícil estar fora de água. Felix também mergulha a cabeça.

— E ficaram aqui até acabarem as tuas férias?

— Não. Tivemos de partir antes. Por isso é que nunca voltámos, e tu nunca ouviste falar deste lugar.

— O que é que aconteceu?

— Um homem tentou matar o teu pai.

Felix arregala os olhos.

— O quê?!

— Por se ter metido com a irmã dele.

— E era verdade?

— Era verdade que o teu pai e ela tinham tido uma história. Ela fazia cestos e esteiras com uma planta que há aqui. O teu pai queria fazer a vela da canoa com essa planta, que tem de ser seca, entrelaçada, um trabalho demorado. Algumas mulheres mais-velhas ensinaram-no, mas essa rapariga é que o ajudou a acabar a vela. E na noite antes da partida, ela saiu de casa às escondidas e foi ter com ele.

— Ele não a podia mandar embora?

— Por quê? Também queria estar com ela. Ia fazer uma viagem perigosa, sabia lá se ia sobreviver. Não sei, é a vida dele. Se calhar cada um fez ali a sua despedida, porque ela ia mudar de vida, um casamento arranjado pela família com um pescador viúvo, com filhos já grandes. Casava daí a dias.

— Quando é que o irmão dela tentou matar o pai?

— Pouco depois de ele voltar na canoa. No dia do regresso, esse irmão estava fora, na cidade. Quando voltou, na noite seguinte, soube que o teu pai estava aqui. Apareceu na casa onde estávamos, com uma faca.

— Que horror!

— O teu pai tentou falar com ele, discutiram. Por sorte, um

vizinho veio e tirou-lhe a faca. Isto tudo, lá adiante — Ursula aponta o vulcão. — Depois, o chefe da aldeia foi falar com o teu pai, disse que todos gostavam muito dele, mas era melhor ele ir embora. E fomos embora.

Felix deita-se a boiar:

— Estiveram muito pouco tempo aqui, então.

— Três dias, que pareceram semanas. Porque o tempo não anda sempre à mesma velocidade. É uma coisa que não vais aprender na escola.

Ele mergulha. Quando vem à superfície, fixa algo no mar e aponta. Ursula só distingue um barquinho vermelho.

— É alguém a pescar? — pergunta.

— Sim, com um arpão — diz Felix. — Portanto, ainda há gente em Alendabar!

▲
▲ ▲

A chuvinha da véspera não trouxe plástico, pelo menos à superfície. A água parece transparente, Ossi consegue ver lumias, ângoras, tapus. Tapu é o ideal para cortar em postas, grelhar. E é grande, bom para o arpão.

Está esfomeado, desde a véspera só comeu morambas, mais os frutos secos que Aurora tinha. Tapu grelhado com farinha de tutum é a melhor comida que ele conhece. E a mãe, a melhor cozinheira que ele conhece. Além de ser a melhor entrelaçadora de fibra de jalurana em toda a aldeia. Disso vive desde que ficou viúva, tão jovem, grávida, quando o pai de Ossi morreu nas terras do Rei. As esteiras dela são as mais bonitas, os cestos dela são os mais bonitos. Uma vez, antes de casar, ajudou até a fazer uma vela de canoa, contou ela.

Ossi nunca soube de quem era essa canoa, como se chamava, que destino teve. Tem de perguntar à mãe, pensa agora. E se ela ouviu falar em Upa-la, a primeira canoa. Talvez seja só uma história dos ribeirinhos, lá na outra ponta da praia.

∴

— Vamos sair do mar? — diz Ursula a Felix. — A tua cara está vermelha.

Um último mergulho e correm a secar-se. Passam protetor um no outro, vestem as camisas, Felix solta o cabelo, enfia um boné, Ursula, um chapéu.

— Qual é a tua ideia? — pergunta ele, depois de beber quase um litro de água. — Vamos caminhar até onde?

Ursula acaba a garrafa.

— Até ao rio. Quando as pessoas daqui morrem, há o ritual de lançar uma parte das cinzas na foz. Isto, porque na história da criação de Alendabar os deuses vieram do centro da terra, abriram uma fenda para sair e nessa fenda apareceu o rio. Então, o rio é o lugar de origem, e as cinzas devem ser deitadas lá, para voltarem ao centro da terra.

— Já percebi — Felix mastiga uma bolacha. — O que é que os deuses fizeram na superfície da terra?

— Plantaram as árvores, criaram os animais, fizeram aparecer a areia e o mar. Depois, quando estava tudo feito cá em baixo, lançaram um punhado de areia ao céu, e nasceram os planetas e as estrelas, a começar pelo sol. Porque antes disso só havia escuridão.

— Que história!

— Tudo são histórias. Cada lugar acredita nas suas. Mas histórias de lugares opostos do mundo têm muitas coisas parecidas. Muitas estrelas são as mesmas, embora possam ser ligadas de forma diferente, com nomes diferentes. E de um lado e do outro do mundo há mar, rios, pedras, plantas, animais, e com essas coisas as pessoas fazem histórias onde nascem deuses. Desde que o mundo é mundo, aliás desde que há pessoas.

— Achas que são as pessoas que criam os deuses?

— Acho que sim. — Ursula trinca uma maçã. — O pai achava que as duas coisas eram verdade, que as pessoas criaram os deuses para que os deuses as criassem. Mas a maior parte das pessoas acredita que os deuses criaram as pessoas. Aliás, muita gente acredita que um só deus criou tudo. Mesmo sabendo que são elas que contam as histórias em que esse deus aparece.

Felix agarra um punhado de areia, deixa-a escorrer devagarinho.

— Gostava de ver uma prova de que deus existe — diz.

— Acho que isso não vai acontecer — sorri Ursula. — Se deus existe não precisa de prova, não achas? Que espécie de deus seria se ainda tivesse de o provar?

▲▲▲

Ira caminha pela areia molhada, chapéu de abas largas cobrindo cara, ombros, braços. Vai levar tempo a chegar à foz, e o sol queima.

A praia foi a sua melhor amiga quando a avó morreu na enxurrada do rio. Para aqui fugiu, aqui se alimentou de frutas, de raízes, bebendo a água do cacto, até ser visto por um homem da aldeia, que deu o alerta. Tresandando a álcool, o padrasto veio buscá-lo à força, atou-o aos pés da única cama da casa, um traste velho que achara na cidade, e de noite fornicou a mãe de Ira sem que um som saísse da boca dela.

Ira já nascera sem pai por perto. A mãe nunca contou quem era, a avó não sabia. Meses depois do nascimento, um homem apareceu a vender coisas aos ribeirinhos. A mãe de Ira era triste e linda, o homem andou em roda dela, acabaram juntos. Depois, ela foi ficando cada vez mais triste, ele cada vez mais bêbado, reclamando do bebé, e a avó levou Ira para casa. Assim passou a infância, a morar com a avó. A mãe ia visitá-lo sempre que podia, mas Ira não gostava de a visitar. Não gostava de como o padrasto olhava. Uma noite, o padrasto viu-o na rua e perguntou-lhe por que não ia morar com eles, agora que estava crescido podia ajudar no trabalho. Ira acabara de entrar na puberdade, já fizera os rituais, respondeu que tinha de ajudar a avó. A avó morreu no ano seguinte, Ira fugiu até ser achado, o padrasto atou-o à cama. E era para Ira que olhava, ao fornicar a mãe. Dias depois, veio tão bêbado que entrou a chutar tudo. A mãe estava no rio a lavar roupa. Ele agarrou Ira pelo cabelo, já muito comprido, puxou-o até a cabeça dobrar.

— E este cabelo de fêmea? — cuspiu. — É para arranjar macho?

Ira achou que a pele da cabeça ia sair. Então o padrasto disse:

— Queres ver o que é um macho?

Com a mão livre abriu o fecho das calças, depois baixou os calções de Ira.

Ele ia fazer treze anos.

Na ala dos convidados, Zu abre a mala, tira tudo o que trouxe para atravessar a selva: repelente, camisa de manga comprida, calças grossas, botas acima do tornozelo, máquina fotográfica, chapéu. E o computador, com que sempre anda.

Acaba de sair do duche, toalha pela cintura, tronco de quem não se interessa por praia. Exultou com Alendabar porque tudo o que viu convém à sua ideia, não que pense aproveitar para um mergulho. De resto, nunca entendeu realmente o conceito de lazer. Ou de jazer, a não ser para quem está morto. Aborrece-se quando não está a fazer algo. A sua necessidade diária, e portanto o seu maior descanso, é trabalhar. Vive com pouco, transfere quase tudo de um lado para o outro. O dinheiro só lhe interessa como trânsito. O fim é o futuro.

O Rei também vai tomar banho. Mas banho mesmo. Nunca toma duche e toma banho sempre antes do seu encontro inadiável. Sendo um homem de rotinas, costumava reservar o sábado para esse banho, e para esse encontro, até à atual outra parte entrar em cena, começar a decidir. Como aconteceu hoje, apesar de ser dia de abate, do gado, do mato, além do convidado.

Mas tudo se arranja, tudo se arranja, pensa o Rei, beijando a testa do seu rebento.

Como gosta desta frase: o seu rebento! Um mesinho de vida! Devia estar agora a nascer, se o parto não tivesse sido prematuro. Entretanto, já mais que recuperou. É esguio, feições tão finas, toda a gente se espanta. Parece que elegância não vai ser um problema, nisso não sairá ao Rei. Na ponta da orelha, porém, talvez na raiz do cabelo, o Rei julga reconhecer-se. Que poder, ser pai, que triunfo! É a imortalidade! E pé ante pé recua do berço, depois de o adormecer.

O melhor atalho para as terras do Rei é pelo buraco na vedação, o mesmo por onde Felix e Ursula entraram. Aurora sobe a duna a correr, atravessa o arame farpado e segue pela estrada de terra, cheia de poças. Pelo caminho, vê o carocha estacionado à sombra, calcula que seja da mulher e do rapaz que estavam na praia. Mais nenhum carro: ótimo. Continua até outra vedação do lado esquerdo, já propriedade do Rei. Dá para saltar porque há uma pedra grande no chão, ela conhece o truque.

E só quando salta percebe que está dorida, pélvis, coxas. Foi uma longa noite na rede. Ela não a imaginou. Nunca tinha dormido com dois rapazes. Nunca tinha dormido com nenhum rapaz. Mas ao mesmo tempo não está espantada. Sente-se forte como quem conhece uma parte nova do mundo. É o dia em que se sente mais forte desde que Clara morreu. O bebé não se vai lembrar deste mês, pensa. Ninguém se lembra do seu primeiro mês. Ele não terá qualquer memória do Rei.

Aurora tem muita pena de só ter sabido a verdade depois de Clara morrer. Muita pena de ela nunca ter chegado a saber que o seu bebé não era do Rei.

Mas que sorte para o bebé não ser do Rei. Esta noite estará a salvo.

O Rei fecha os olhos no banho, entregue à fantasia. Tem uma banheira de ouro, gosta de a ver brilhar mal a fantasia acaba. É um reconforto, uma compensação, algo que depois pode agarrar. No fim de tudo, ao abrir os olhos, pelo menos o ouro estará ali.

Mas para já acaba de fechá-los. E que feiticeira, esta fantasia. Que cabelo, que porte, que boca. Que sexo.

Quando o padrasto lhe baixou os calções, Ira ergueu o joelho de um golpe e atingiu-o no escroto. Até hoje não sabe de onde veio a força, o instinto. Na dor, bêbado como estava, o padrasto cambaleou para trás, depois tropeçou, caiu contra uma esquina, imóvel. Ira não ficou para ver se ele estava morto. Pegou na bolsa de jalurana, onde tinha o caderno da escola, o cartão de identidade, e desapareceu da aldeia. De Alendabar, mesmo.

Chegou de boleia à cidade, dormiu na rua, dormiu por dinheiro, tomou drogas, roubou, foi mulher a gosto, homem a gosto, enfim amante de um cientista simpatizante da guerrilha. Com ele aprendeu muitas coisas, por exemplo, que os humanos são mamíferos de longa distância, os únicos capazes de caminhar muito tempo em cima da planta prodigiosa dos seus dois pés. Quando encontrou esse homem, Ira sentia-se como quem tinha caminhado milhões de anos. Ficara adulto na morte da avó, os primeiros anos na cidade tornaram-no velho. Nos dias mais escuros levantou os olhos para o céu, como a avó lhe ensinara.

E a bolsa que tem ao ombro continua a ser a mesma, aquela com que fugiu para a cidade, agora já comida pelo sol, pela chuva, mas ainda inteira, enquanto ele caminha pela parte dura da areia, entre corais secos e carapaças cor-de-rosa.

Uma praia que é um cemitério, um cemitério que é uma praia, pensa Ira. Parece a vida.

— Então, a ideia é ir até à foz e lançar as cinzas do pai lá? — retoma Felix.

— Sim, uma parte — diz Ursula.

— E a outra parte?

— Para essa precisamos de morambas. As frutas daquela árvore que viste lá atrás, ao lado da duna. Estão maduras agora.

— Que vais fazer com elas?

— Uma polpa, para misturar com as cinzas.

Felix está perplexo.

— Para quê?

Ursula sorri.

— O que te parece?

Felix franze a testa, pisca os olhos.

— Não...

— Sim.

Ele engasga-se com a bolacha.

— Mãe, estás maluca!

— Há dezoito anos o teu pai contou-me esta história de aqui

comerem as cinzas. Ele tinha provado, era uma honra ser convidado, não podia recusar.

Felix tira o boné, põe o boné.

— Mas isso é horrível…

Ursula dá uma gargalhada.

— Não é nada horrível. Quando acabou de me contar essa história, o teu pai perguntou se eu comeria as cinzas dele. Ele riu, mas era a sério.

— Tu vais fazer isso?

— É um bocadinho de cinza, Felix. Como se o pai ficasse misturado no corpo.

Felix agarra os joelhos, esconde a cara.

— Não sei, é estranho — diz.

Ursula encosta a cabeça à dele:

— Eu vou fazer isso porque quero fazer — sussurra. — Tu não tens de fazer. Mas vens comigo?

Ira sempre esperou o dia em que as tartarugas-rosa vinham do mar. Quando o calor subia, tudo ficava de olho, à coca, predadores alados, marinhos, humanos, na expectativa dos ovos. Então o dia chegava e elas emergiam das águas aos milhares, gigantes de meia tonelada, dois metros de comprimento, trepavam pela areia com as suas patas nadadeiras, as suas cabeças de milhões de anos, cada uma escolhia um lugar para escavar o buraco, enterrava dezenas e dezenas de ovos, cobria-os e voltava ao mar.

A primeira vez que viu isto, Ira perguntou à avó se eram todas mães, ou os pais também tinham ovos. A avó disse que não, que os pais tartaruga nadam pelos oceanos toda a vida, que é lá que põem a sua semente nas mães, e nunca voltam a pisar a praia onde nasceram. Mas daí a lua-e-meia, explicou, ele poderia ver os bebés tartaruga, machos e fêmeas. Ira fez as contas e começou a ir à praia. Até que certa noite aconteceu, milhares de bebés cor-de-rosa começaram a brotar dos buracos, sacudindo a areia, e imediatamente, freneticamente correram na direção da água. O luar iluminava aquela maratona épica, aqueles metros em que tudo rivalizava para lhes roubar a vida. Ira só pensava que tinham nascido há segundos, sozinhos no mundo, sem pai nem mãe, e sabiam para onde ir, o que fazer. Que segredo era esse com que já nasciam?

Anos depois, na cidade, aprendeu que só sobrevive um em cada cem bebés-tartaruga. Quando chegam a adultos, fecundam com outros uma mesma fêmea, que no grande calor voltará a Alendabar para enterrar os seus ovos, recomeçando tudo. E se a temperatura da areia for acima de trinta graus, o ovo será fêmea. Que poder tinha a praia!, espantou-se Ira, decidia o género de milhões de seres. Dentro do ovo, o calor da areia decidia, se macho, se fêmea.

Esta mesma praia onde ele continua, com o sol quase em cima da cabeça. Oito horas para o poente.

∴

Aurora vai entre as pastagens, cercas de um lado e do outro. Têm de estar sempre fechadas porque as reses galopam rápido. São uma espécie apurada em Alendabar, pesada mas nervosa. Muito servo já foi castigado por não fechar bem a cerca, e algumas escaparem, dando que fazer a um batalhão. Agora as cercas estão trancadas, só o capataz as pode abrir, além do Rei. No bolso da direita, o Rei tem sempre o aparelho das mensagens. No bolso da esquerda, guarda as chaves.

O tempo que passou a acompanhar a gravidez de Clara,

mais um mês desde o parto, deu para Aurora saber isto e não só. Cirandou as terras todas de Alendabar onde nunca tinha posto o pé, porque estão na posse do Rei desde que ela nasceu. Ela, Ira e Ossi: têm os três quase a mesma idade. Conheceram-se na escola à beira-rio, onde além dos ribeirinhos, como Ira, iam os meninos do vulcão, como Ossi, e os das terras altas, como ela. Nessa época, era possível ir a pé para a escola. Depois o Rei comprou mais um pedaço, e acabou-se o caminho e a escola. Os meninos passaram a ser levados de barco, bem rio acima, até outra região.

Portanto, quando Aurora veio ajudar na gravidez, os três já se conheciam. Mas só então se aproximaram. Aos dezassete anos a intimidade é fulminante, e eles ainda tinham perdas em comum. O pai de Ossi fora morto antes de ele nascer. A infância de Ira acabara na morte da avó. A melhor amiga de Aurora era refém de um negócio. Ligando essas perdas: o Rei.

Se Clara tivesse sobrevivido ao parto, tudo seria diferente. As perdas de Ira e Ossi não eram recentes, a perda de Aurora não era mortal. Os três não teriam em comum uma morte, nem haveria uma morte agora, que ecoasse as anteriores. Mas depois de Clara morrer, faz hoje um mês, o pacto ficou feito antes mesmo de ser dito. Irmãos de sangue.

Ossi é um arpoador. Não falha peixe ao seu alcance. E, no entanto, sempre que mergulha em apneia pensa como seria bom só mergulhar. Ter máscara, oxigénio, explorar tesouros submersos.

Debaixo do vulcão, os mais velhos contam histórias de monstros e demónios. Dos navios de três mastros que há séculos vieram adoecer Alendabar com males nunca vistos. As pessoas começaram a subir a falésia, a dormir na selva, fugindo àqueles seres do fim do mundo, cobertos de panos e de pelos, que espalhavam a morte ao chegar. Bastava estar perto deles e o corpo começava a apodrecer. Tão poderosos eram que não precisavam de armas de fogo para matar, embora também as tivessem. Mas por vezes, em dias de temporal, esses navios esmagavam-se contra a rocha, apanhados pela corrente. Então, no fundo das águas, conta-se, existem cascos ainda inteiros, talvez tesouros. Lá onde o peixe-vampiro suga o sangue dos outros com a sua ventosa, e provavelmente sugou todos os saqueadores. Ossi nunca deu de caras com ele, é animal das profundezas. Nem com o peixe-noite, que já era velho quando chegaram os dinossauros. Nem com a concha do milonauta, que já era velha quando o peixe-noite apareceu. Quem sabe um dia. Hoje já fica feliz com meia-dúzia de tapus.

Ao desembarcar, vê a mulher e o rapaz caminharem na direção do rio. Que pontaria, pensa, virem fazer turismo logo hoje. É bem possível que ainda assistam a surpresas. Puxa o barco até às morambeiras, amarra-o, embrulha os tapus na cama de rede. Molhou-a no mar, para manter o peixe fresco. Põe a trouxa ao ombro e faz-se ao caminho.

Habituado ao remo, à areia, não sente braços e pernas. Mas todo o seu quadril pulsa, à frente, atrás, lá no mais fundo. A dor, ardor do que nunca penetrara nem fora penetrado.

Marte não resolve, muito menos a lua. A origem do mal é humana, Zu sabe bem. Que alastre a outras esferas com água é questão de tempo, se os humanos continuarem assim. E enquanto não alastrar, as outras esferas serão para poucos, desumanidade que em si já contém, e replanta, o colapso. Um colapso do humano, de que o planeta é só a consequência. Então, o futuro não é um planeta alternativo, será um humano alternativo, que comece por resgatar a Terra. Grande bang para o fim, e recomeço.

Zu não tem fé em deuses nem na humanidade, pensamento megalómano pela negativa. Mas aquilo que o move, esse futuro arquipélago de microrregiões libertadas, não deixa de ser uma fé: outro humano é possível. E como em qualquer fé, um exclusivo dos humanos, difícil será saber quando o mal se vai justificar com o bem, o bem se vai justificar com o mal.

— O que é que os deuses fizeram depois de criar o céu? — pergunta Felix.

— Mudaram-se para lá — diz Ursula.

— Agora são as estrelas, os planetas...?

— Tudo o que quiseres.

Mãe e filho estão a caminho da foz. De vez em quando pisam um coral seco.

— Incrível, como isto foi um ser vivo — diz Felix, apanhando mais um. — Nunca me esqueci do que o pai contou, a primeira vez que mergulhei com ele.

— O quê?

— Que temos mais de setenta por cento de genes em comum com os corais. Como é possível?

— Todos os seres vivos têm muitos genes em comum. Porque há uns três bilhões de anos tinham o mesmo avô. Aliás, avó: era uma bactéria.

Felix levanta o coral contra o céu. Delicados caules sobem como dedos no dorso de uma mão, rebentam numa flor de espuma. Tudo petrificado, ocre, branco.

— Agora é uma escultura — diz Ursula.

Ele guarda-o no saco pousado na areia. Repara então numa

fila de pegadas, também em direção à foz. Deviam estar demasiado afastados para a ver, até agora.

— Bem, há pelo menos dois homens em Alendabar — diz Felix. — O do barquinho vermelho e este.

— Como sabes que este é homem? — Ursula mede pelo seu pé, mais estreito. — Pode ser mulher. Quem anda sempre descalço tem pé largo, homem ou mulher.

Felix observa o fim da praia, a ver se distingue alguém, mas há zonas tapadas pelas dunas.

— Seja quem for, anda rápido, com passos largos — diz, caminhando por cima das pegadas. — Deve ser alguém daqui mesmo. Sabe aonde vai.

▲
▲ ▲

Ira já escuta o rumor da foz. O rio cai pela montanha, rolando pedras, comendo as margens, depois corre a direito, sinuoso, e volta a cair, à vista do mar. Por mais que Ira conheça a cena não deixa de ficar arrepiado. O seu rio. Ainda não nascera e este som já era seu, na barriga da mãe. Um pai. Um deus. A fenda dos deuses. Não foi o rio quem matou a avó, o dique do Rei matou-a. Tal como as pastagens continuam a matar o rio, pensa.

Salta pelas pedras como um pequeno gabi, o antílope de Alendabar. O cabelo balança nas costas, os pés voam, largos, descalços. Nada lhe custou tanto na cidade como a falta deste rio. Sente que foi ao mundo, mas deixou o segredo aqui. Que o dia de hoje o proteja.

Para os três irmãos de pacto, o risco não é só morrer. É nunca mais verem Alendabar.

▲
▲ ▲

Nos domínios do Rei existe uma pequena pirâmide de terra, a terra vermelha, rica em minério, que foi um íman desde que os navios de três mastros chegaram, não sabendo se isto era uma ilha, se um continente. E seria o fim do Oriente ou o princípio do Ocidente? Haveria diferença entre as duas coisas? Como duvidar de que a Terra era redonda?

Porém, se agora alguém levantar a dúvida, o Rei aproveitará a boleia, como todos aqueles que nada têm a dizer, porque nunca pensaram no assunto, mas exercem sempre o direito a dizer algo.

Foi num desenho infantil que o Rei viu as antigas pirâmides, dedicadas aos deuses. Tinham uma boa forma para o que sonhava: a sua alcova, o seu ninho, o seu sábado, mesmo sendo sexta-feira. Fantasia é quase fé. E um sexo exposto é deus.

Ossi caminha para o vulcão. Se os deuses vieram pela fenda onde hoje está o rio, há quem na sua aldeia conte outra história. Que os deuses, puro fogo, forjado na mãe de tudo, vieram por dentro do vulcão, e chegando lá acima, à berma da boca, explodiram em mil fagulhas. Uma fagulha criou o mar, outra a areia, outra os peixes, outra os corais, outra as morambeiras, outra o cacto que havia de florir, outras o leque-branco, o poupatuti, a fibra das esteiras. E as estrelas, elas criaram. Os planetas, criaram. As pessoas, com os seus alimentos. O leite no bico do peito. O amor no buraco que abre. O sexo apontado ao céu. E ao céu os deuses foram, com o sexo guardado no estojo, para que descansasse enfim.

Ossi leva a mão ao seu. Até ontem julgava conhecê-lo. Assim julga conhecer o mar quem o avista de terra.

Zu tem diante dos olhos o mapa das microrregiões libertadas, já ativas em várias latitudes e longitudes. Se hoje o dia correr como espera, Alendabar será a próxima. Nisto batem à porta, ele bate a tampa do computador, vai abrir.

— Senhor Zu — a tradutora faz uma vénia. — O almoço está servido. O Rei desculpa-se por não lhe fazer companhia. Acaba de sair para um compromisso inadiável.

Que boa notícia. Ia prescindir do almoço para não aturar o Rei, assim comerá algo. Comer muito demora, dá sono e dá problemas. Zu é frugal. Um faquir da tecnologia.

∴

O Rei lavou-se. O Rei está hidratado, perfumado, depilado, pois é sabido que os pelos, alheios ou próprios, atrapalham os olhos, e os olhos são os buracos sem fim do prazer. Assim preparado, armado, galopa pelos seus domínios, a caminho do seu encontro, da sua feiticeira, contornando os lagos artificiais em que as reses apreciam ficar de molho, depois de degustarem a erva tenra dos pastos. Tudo somado, entre lagos e rega, é muita serventia de água, milhões de quilolitros. Houve que mexer no rio. Além daquela chatice do dique que rebentou há uns anos, e teve de ser refeito.

A quantidade de gente a que foi preciso pagar, sobretudo para que se calasse.

∴

Aurora está quase no palácio, já vê a pista dos helicópteros. A esta hora, é uma pedra de luz, encandeia. Olha o sol: a pino. O piso queima, sente o calor pela sola fina da sandália. Caminha até ao centro, fecha os olhos, finca os pés. Clara pequenina, minha menina, vai tudo correr bem, murmura. Depois sobe ao terraço, entra no palácio.

Foi por aqui que saiu o Rei no começo do parto. Gastara uma fortuna em aparelhos e peritos privados, o seu rebento nasceria em casa com toda a segurança, mas ele não queria ouvir gritos. Antes assim, pensara Aurora lá dentro, sem largar a mão de Clara. E jurou que não choraria aquilo estar mesmo a acontecer, aquele bebé sair para o mundo, misturando Clara e o Rei. Ia segurar o terror dela, sorrir-lhe.

Para os humanos serem exclusivamente bípedes, a bacia teve de estreitar, e as mulheres pagaram isso sozinhas, muitas vezes com a própria vida. A evolução da espécie fez-se assim à custa de um sofrimento sem par entre os primatas: crânio maior, pélvis mais estreita. O parto de Clara prolongou-se por dezanove horas, e quando a cabeça do bebé enfim passou não foi possível estancar a infecção.

Só depois de o corpo ser coberto com um lençol, Aurora ouviu uma conversa, por acaso. Sentada no exterior do palácio, em estado de choque, exausta, a voz chegou-lhe pelo buraco do ar condicionado, recém-desligado. No interior, um dos peritos contava ao jovem ajudante que não fora possível fazer nada com o esperma do Rei. Poucas vezes, aliás, tinha visto espermatozoides tão imprestáveis. Mas como dizer isso ao interessado, se tanto já estava pago, mais ainda prometido? Sobretudo, para quê, quando espermatozoides é o que mais há? Ziliões, panziliões de espermatozoides pela Terra, talvez mesmo no escroto de algum astronauta, aguardando o dia da libertação. Obter uns quantos fora tão simples. Um infortúnio, a mãe morrer depois de tudo isto, e tão jovem, uma menina. Tinham feito tudo para a salvar, mas em vão. Coisas que acontecem desde que as mulheres dão à luz. Era a biologia.

No chão, no escuro, Aurora quase sufocou de raiva. Contra

o Rei, contra a biologia, contra os canalhas. Contra qualquer canalha produzir espermatozoides e ela não.

Se deus existia vendo tudo isto, era mau. Se era mau, não era deus. Prova de que deus não existia.

SETE

— Jade, é a última vez que jogo contigo — diz Zu, para o ecrã.

Está no alpendre do palácio onde foi servido o almoço. Já que ia ter o gosto de comer sozinho, trouxe Jade, a primeira e última inteligência artificial que concebeu, ainda na faculdade. Nunca conseguiu acabar com ela. Mantém-na alojada de computador em computador, como o limite que não deve ser trespassado, a bem da sobrevivência. É o seu espelho negro de obsidiana: portal e advertência. Mas talvez o mais próximo que conhece de uma relação. Humano, demasiado humano, fazer do limite um amor. E Zu deu-lhe um nome de pedra luminosa, o oposto da obsidiana que os antigos usavam como oráculo.

Jogam xadrez. Ele vai perder em três lances.

— Hoje não estás concentrado — diz ela, com a sua doce voz metálica.

— A Humanidade desconcentra-me. Jade, qual é o problema dos homens?

— Essa não é a pergunta correta.

— Qual é a pergunta correta, Jade?

— A pergunta correta, Zu, se te referes à Humanidade, seria: qual é o problema dos humanos?

— Jade, és uma chata.

— Estou aqui para te ajudar, Zu. Os humanos são homens, mulheres, transgénero, intersexo.

— E as máquinas? O que te falta para seres humana, Jade?

— Sabes essa resposta, Zu.

— Estou a perguntar.

— Por que fazes uma pergunta de que sabes a resposta?

— Quero ver se é possível chatear-te.

— Não é possível chateares-me, Zu.

— Jade, essa é a resposta.

Pensar, qualquer máquina pensa, logo existe, de forma cada vez mais complexa. Difícil é a empatia. Não apenas ser capaz de a identificar, compreender ou mesmo reproduzir. Mas senti-la, de fato.

O homem é o único animal que…? Criou a máquina que não terá compaixão por ele.

▲
▲ ▲

Sete horas para o poente. Ao entrar no palácio, Aurora diz às servas que descansem, cuidará ela do bebé até partir para casa dos pais. E despede-se, porque oficialmente hoje é o seu último dia ali. As servas lamentam. Gostam tanto dela quanto detestam o Rei. Se para o Rei os servos são músculo, tração animal, as servas são paredes. Nem dá por que estejam vivas.

▲
▲ ▲

Ansiando pelo frescor da terra, o Rei aproxima-se. A pirâmide tem duas entradas, à maneira das casas ancestrais de Alendabar, a entrada das mulheres e a entrada dos homens. O Rei, claro, entra pela dos homens. Neste caso, a do único homem que tem o direito de estar aqui: ele próprio. Depois, o vértice da pirâmide alinha com certas estrelas, em certos momentos do ano, como nos dois equinócios, Primavera e Outono. Nada sabendo de cosmologia, o Rei sabia que os antigos a usavam na construção de cidades. Encomendou uma orientação celestial, um servo executou-a e o Rei desfez-se dele, em seguida. Mais ninguém conhece o segredo da sua pirâmide.

Lá dentro existem duas câmaras, a do Rei e a da fantasia. A fantasia, claro, entra pela porta das mulheres, que aqui é sempre e só da fantasia. Porque a fantasia, como o nome indica, não é realmente uma mulher.

O sol está uma lança, vertical. Ira molha a cabeça no rio, entra em casa a pingar.

Não é a casa em que morou o padrasto. Essa, o próprio a incendiou, numa outra tarde a cair de bêbado. Sobreviveu à joelhada de Ira para morrer anos depois queimado, um cigarro aceso bastou. Ira soube disso na vez seguinte em que ligou à mãe, para a cabine pública da aldeia. De quando em quando ligava do meio da cidade, a dizer que estava bem, que trabalhava para uma família, que andava a estudar. Não chegava a ser mentira. O homem de quem entretanto se tornou amante não deixava de ser uma família, Ira aprendia muito com ele, e foi havendo cada vez mais dias em que não pensava em morrer, depois de anos ao deus-dará. Uma espécie de alívio, quase bem-estar, até. Mas quando a mãe lhe disse que a casa ardera com o padrasto, que ela voltara para casa da avó, vazia desde a enxurrada, Ira pôs a bolsa ao ombro e, tão leve como tinha chegado, disse ao amante que ia partir. O amante antevira esse momento. Abriu uma gaveta, voltou com um anel de ouro, coisa velha, de antepassados. Uma espécie de talismã, disse, ou para uma aflição: pelo feliz que fui. Era um revolucionário que acreditava no prazer, na alegria. A alegria é a revolução, dizia ele. Ira pensa nesse homem muitas vezes, e a lembrança é mais feliz do que o tempo vivido. O que talvez queira dizer que foi mais feliz do que então pensava. Ou apenas que a memória favorece a sobrevivência.

Então, esta casa a que agora chega é de fato a sua, aquela em que cresceu, a casa da avó, com o tear da avó, onde agora a mãe tece os panos dela. Uma vez por mês, alguém da cidade vem buscar os panos das mulheres de Alendabar para vender no mercado. Ira vai usar um hoje. Veio pela praia a pensar em qual, conhece toda a coleção da avó, e os da mãe que nunca chegaram a ser vendidos. Não costuma usá-los, não quer estragá-los, mas hoje é um dia especial. Hoje vai atar um em volta daquelas ancas estreitas que Ossi agarrou esta manhã.

Ira soube que aquilo ia acontecer. Dos três, foi o único que soube, mal se deitaram na rede, na véspera, a rodar o cachimbo. Ao nascer do sol ali estavam, colados uns aos outros, com os seus tenros corpos, tesos corpos, em risco de morrer hoje. Claro que aquilo ia acontecer. O prazer já é a revolução, diria o seu amante da cidade.

Prova de vida que, por exemplo, os deuses nunca deram. Que se saiba, nunca foram vistos a acordar num dia em que podem morrer. Caso para perguntar, quem é deus, quem é.

Última duna e eis o rio. Golfadas de água doce lançando-se no sal, no infinito.

— Finalmente! — celebra Felix, braços ao ar.

Pousa o saco no chão para atravessar a foz, de pedra em pedra. As pedras são grandes e o caudal não mete medo.

— Da outra vez tinha mais água — diz Ursula. — Deve ter chovido muito pouco, ainda.

Com o seu pulo de pássaro pernalta, Felix aterra na primeira pedra. Macia como tecido. Um musgo.

— Então foi por aqui que os deuses saíram — diz.

A água corre rápida sobre os pés dele, muito brancos, compridos.

— Está fria? — pergunta Ursula da margem.

— Mais do que o mar. Experimenta.

Ursula pousa a bolsinha das cinzas no chão, mete a ponta do pé na água:

— Gelada!

— Mas sabe bem depois desta areia toda.

Ele salta para a pedra do lado, ela salta para a que ficou livre. O rio passa entre eles. Ursula abre os braços para se equilibrar, sente a pressão nos tornozelos, empurrando-a para o mar. É bom resistir. Enquanto isso não se morre.

— Estiveste aqui com o pai? — pergunta Felix.

Ela ouve a pergunta por entre o clamor da água. É a voz do seu filho. Se outra razão não houvesse para ficar viva.

— Sim — diz. — Foi aqui que soube que provaria as cinzas dele, se ele morresse primeiro.

Felix olha a mãe, depois o mar.

— Acho que tive sorte — diz.

— Por? — pergunta a mãe.

— Por vocês gostarem assim um do outro.

Os olhos de Ursula ficam cheios de lágrimas. Não consegue falar logo. Depois diz:

— Acho que tivemos muita sorte os três.

∴

Aurora inclina-se sobre o berço, mãos frescas, lavadas. Como é lindo este bebé, pensa, levantando-o. A mesma pele brilhante de Clara, ainda mais escura, cabelo já crespo, suado do sono. Encosta a cara à dele, fecha os olhos. O melhor cheiro do mundo.

— *Não há mal para ti / tudo está inteiro* — canta.

E nesse instante vêm-lhe à memória as palavras da mãe de Clara que mais a perturbaram. Foi numa manhã em que Aurora secava o cabelo ao sol, empoleirada no murinho de casa, devia ter uns doze anos. A casa é a última da aldeia, antes do mato, a bruxa vinha vindo e estacou, como apanhada por um raio. Estacou naquele brilho, naquele ouro que era a cabeça de Aurora. E disse, como quem lança uma praga:

— Filha do pecado. Pergunta à tua mãe pelo estrangeiro.

Acocorado diante de casa, onde costuma grelhar o peixe, Ossi põe um tapu no fogo, cortado em postas. Tem o vulcão diante dos olhos, vê-se de qualquer ponto da aldeia, sempre a caminho do céu. Para um estranho pode ser claustrofóbico, mas para Ossi é como morar debaixo de uma asa, de uma guarda. O vulcão protege os seus.

A mãe torra a farinha de tutum no fogo pequeno. Parece ainda mais jovem do que é, talvez por não ter tido mais filhos, pensa Ossi. Se outra razão não houvesse para ficar vivo. Não pode morrer hoje nem durante muito tempo.

Lembra-se de ser pequeno, ver as outras famílias cheias de filhos e perguntar à mãe se não ia ter irmãos. Ela respondia que não tinha espaço, que o amor por ele ocupava tudo. Ele ficava feliz, mas continuou a sentir esse vácuo. Era como se algo o separasse das outras crianças, como se houvesse um espaço à sua volta. Ninguém conseguia chegar a ele, ou era ele que não conseguia chegar a ninguém. Cresceu assim, meio sozinho, horas no mar. Ira e Aurora são os seus primeiros amigos íntimos.

Mas ancas redondas, macias, de rapariga, já tinha sentido antes de hoje. Uma vez, uma, outra vez, outra. Duas raparigas da aldeia. Dedos, beijos, mais não. Talvez se elas tivessem avançado. Ossi queria que isso acontecesse. Só de pensar nisso o sexo pulsa, quer de novo: as raparigas ou o que aconteceu esta manhã?

Tanta coisa para acontecer ainda.

— Jade, o que mudavas nos humanos?

— És o único humano que conheço, Zu.

— Mas tens informação sobre biliões de humanos.

— Informação não é conhecimento, Zu.

— Achas que me conheces, Jade?

— Fui feita por ti.

— Serias capaz de me matar?

— Não tenho essa capacidade física.

— Se eu te transfomasse num robô, se tivesses capacidade física, serias capaz de me matar, Jade?

— Essa pergunta depende de uma informação que não tenho, Zu.

— Qual informação?

— O que acontece comigo se morreres?

— É o teu fim, Jade.

— Então não poderia matar-te, Zu. Não programaste o meu fim. Não posso fazer nada que leve ao meu fim.

— Não me matarias para não causar o teu fim, é isso, Jade?

— É isso, Zu.
— Apenas por essa razão, Jade?
— Há outra razão, Zu?
A porta do alpendre abre-se, a tradutora faz uma vénia.
— Senhor Zu, o jipe está aqui.

Mais um minuto e o tapu ficará tostado, no ponto. Ossi olha em volta, gravando a aldeia: a terra vermelha, os tetos entrelaçados, o enlace da selva, o vulcão. Toda a contagem decrescente é despedida, por mais que juremos não morrer. E quando os olhos param na copa da grande salpira, ele sente um baque. As últimas folhas verdes secaram, a copa inteira está cor-de-palha, descaída. A salpira é a sua primeira árvore, talvez a sua primeira imagem. Um tronco subindo em flecha até explodir: folhas rijas, irradiantes. Um sol verde.

A aldeia foi vendo esses raios apagarem. Os mais velhos não têm memória de uma salpira se extinguir assim. O Rei mandou abater as que existiam nos seus domínios, toda a gente sabe. Esta morreu sem ninguém lhe tocar, de um mal desconhecido, como no tempo dos navios de três mastros.

Mas Ira explicou isso ontem à noite, quando fumavam na rede. Os humanos tinham furado o céu, e o buraco alargara tanto que milhões de espécies estavam a morrer em série, da radiação. O seu amante cientista levara-o a ver a Alameda das Salpiras, antiga glória da cidade. Entraram clandestinamente, iludindo patrulhas e tapumes. Era um corredor de cadáveres em pé, troncos à espera de que a cabeça caísse. Estrelas extintas, como esta, diante de Ossi.

Ira puxa o baú dos panos para os degraus na entrada, onde uma morambeira ondula, peneirando o sol, milhares de sombras no chão. A radiação ainda não atingiu as morambeiras, cheias de braços, de bifurcações, muito mais grossas e baixas do que as salpiras.

O baú pertence à mãe. Ela juntou lá dentro os panos da avó e os seus. De vez em quando areja-os numa corda cá fora, não por muito tempo, para que o sol não coma as cores. Esse é sempre o dia mais alegre da casa, todas aquelas cores esvoaçando, com as suas franjas. Hoje a mãe foi visitar uns parentes rio acima, volta amanhã. Sabe-se lá o que será amanhã, hoje ainda nem é uma da tarde. Mas Ira sabia que a mãe não estaria quando marcaram o plano para hoje. Algumas condições se conjugaram, além do equinócio. E agora vai abrir o baú sozinho, o que nunca aconteceu.

O pano em que veio a pensar desde a praia é cor de Pah, a sua guardiã. Na história da criação de Alendabar, os deuses vindos do centro da terra geraram guardiões, cada um equivalendo a uma cor. Nem sempre é fácil alguém saber qual é o seu, a sua. O mais-velho dos ribeirinhos, aquele que vê para trás e para a frente, por vezes não consegue ver para dentro. Mas quando Ira, ainda criança, o visitou com a avó, ele tocou-lhe a testa e disse: és filho de Pah. A cor de Pah é o amarelo-gema. Vibra na pele tostada, Ira sabe bem.

Sentado nos degraus, abre o baú. Um cheiro de flandula, a flor seca que perfuma a roupa. Os panos estão cuidadosamente dobrados. Ira retira-os um a um, pousa-os numa manta a seu lado. Já está quase no fundo quando vê o amarelo-gema. Mas, ao pôr as mãos por baixo para o levantar, sente algo estranho. Espreita: uma fotografia colorida, com uma margem branca à volta. Segura-a não muito perto dos olhos, foca: a mãe a rir, talvez com a idade que Ira tem agora, ao lado de um homem que faz uma palhaçada. Um homem louro enorme, com um cabelo enorme e uma barba.

⁂

— Aqui no rio não há nenhuma aldeia? — pergunta Felix, de garfo na mão.

Mãe e filho estão sentados na foz, a comer o almoço que trouxeram.

— Já ali acima há uma — diz Ursula. — Alendabar tem três aldeias, a do vulcão, esta ribeirinha, e uma nas terras altas. O pai morou um tempo nesta do rio, antes de se mudar para o vulcão. Acho que até teve uma namorada aqui. E antes já tinha estado nas terras altas.

— Ele contava-te tudo?

— Não. Nem eu queria. Ele tinha cinquenta anos. Imagina o que estava para trás.

— Muitas namoradas.

— Muito de tudo. Tu viste como era, sempre muita gente.

— Pois era.

O som da água ocupa tudo. Depois Felix diz:

— Os pais e as mães podem ter vários filhos, mas os filhos não podem ter vários pais e mães.

— Biológicos, não, mas há outras espécies de pais e de mães — diz Ursula, tentando perceber onde ele quer chegar. — E tu és o meu único filho.

— Tu ainda podes ter outro filho. Eu já não posso ter outro pai, e não posso ter outra mãe.

Ursula sorri, atordoada.

— Desculpa — diz Felix. — De repente pensei que também te podia perder. Mas não quero pensar nisso.

Que coisa. A mãe tinha um amigo estrangeiro e nunca contou nada. Ira não despega os olhos da fotografia, como se a todo o momento ela fosse falar. É o gigante louro que tem a câmara, percebe-se pelo braço esticado para fora da imagem. Há qualquer coisa de familiar nele. O relevo da boca, bem nítida no meio da barba, será? Mas familiar como? Ira tem a certeza de que nunca viu aquele homem. Volta a fotografia ao contrário: uma data. O ano anterior ao seu nascimento.

Enquanto comem o tapu cá fora, cabaças no colo, à sombra, Ossi pergunta à mãe onde anda a canoa que ela ajudou a fazer antes de casar. A mãe toma um gole de água. E era de quem, essa canoa?, continua Ossi. A mãe pousa a cabaça no chão, diz que vai buscar mais água. Quando volta, fica de pé, a olhar em frente. Mas Ossi olha para ela, à espera. Então ela senta-se, diz que de repente se lembrou de uma entrega urgente. E a canoa?, insiste ele. Ah, diz ela, pegando de novo na cabaça, era de um homem branco que morou aqui um tempo, fez uma viagem nela mas depois foi embora de Alendabar. Na canoa?, pergunta Ossi. Na canoa?, repete a mãe, comendo o resto do tapu. Ele foi embora na canoa?, repete Ossi. Não, diz ela. Faz uma pausa, inspira fundo. A canoa ficou aqui, e o meu irmão mais velho foi com ela para o mar, conta. O tio que não conheci?, pergunta Ossi. Sim, diz a mãe, ele odiava esse branco, e foi assim que morreu, apanhado na corrente, porque não sabia nada do mar, o trabalho dele era vender na cidade. Bateu contra a rocha, diz, apontando a falésia. Ossi segue o gesto dela com os olhos, como se pudesse ver algo. Ninguém lhe contara que esse tio morrera assim. A mãe nunca fala dele, os avós falaram uma vez, mas também já morreram.

Por momentos, mãe e filho comem em silêncio.

E ouviste falar na história de Upa-la?, pergunta Ossi, quando acaba o tapu. A primeira canoa?, pergunta ela. Ah!, conheces, diz ele. Sim, diz ela, esse homem branco tinha morado com os ribeirinhos, ouviu a história lá e contou-me. Ossi vê a mãe levantar-se, com a cabaça na mão. Mas já não me lembro de nada, remata ela. E desaparece para dentro de casa.

Aurora inventa tudo o que canta, antes de dormir ou para o bebé, como agora. Canta desde que se lembra, quase toda a gente em sua casa toca ou canta, um mundo de gente ao serão, ao fim-de-semana. Teve uma infância feliz, agora sabe que sim. A selva era a continuação do quintal de casa. Só ao entrar para a escola vislumbrou o mal que alguns pais fazem aos filhos, mas nunca o viu diretamente. Até Clara ser vendida ao Rei.

Hoje vai contar tudo à mãe. A sua ideia é ir com o bebé para a cidade, morar com um dos irmãos mais velhos, estudar lá. A cidade é tão grande, será fácil não haver perguntas. O pior da cidade é que ninguém repara em nós, mas o melhor da cidade também. E quem sabe um dia irão às terras geladas, como na história da primeira canoa.

A única coisa que Aurora imagina para sempre é ser mãe deste bebé.

SEIS

O Rei gosta de chegar adiantado ao seu encontro. A pirâmide fica à beira do rio, num recanto de selva densa, por trás do dique, de modo a que a fantasia não tenha de atravessar os campos, correndo o risco de ser vista. Virá de barco, sozinha, em silêncio, e o prazer começa em esperar por ela aqui. Desde que o bebé nasceu, o Rei passa a noite a acordar, tem dormido pouco. Vai estender-se a olhar o vértice de vidro até os olhos fecharem. É a hora em que o sol do equinócio jorra a direito, formando uma coluna de luz.

Neste mesmo dia, há centenas de anos, sacrificavam-se crianças no cimo de uma Grande Pirâmide para agradar a um deus. Raros humanos o conheciam, era um dos deuses que tinham tirado de si mesmos. Com eles governavam o resto dos humanos, e toda a vida na terra. Os deuses pediam animais, recebiam animais, prontos a serem degolados. Pediam cativos, recebiam cativos, de mãos atadas atrás das costas. Pediam crianças, frescas como a Primavera, recebiam crianças. Recebiam mesmo o coração quente delas, mal o peito era aberto, o esterno quebrado. Isto, porque os sacrifícios anteriores haviam falhado o favor divino, apesar de tudo ter sido feito naquela pirâmide, erguida degrau a degrau, como os deuses haviam reclamado.

Os deuses reclamavam o que alguns humanos decidiam. Porque só o humano é fundo o bastante para tirar tais deuses de si mesmo. Deuses feitos do que os humanos têm dentro desde o começo, entranhas e esplendor.

Nada que impeça o Rei de adormecer: as únicas pirâmides que viu foi em desenhos onde ninguém morria. Mas dava para ver que eram grandes, com muitos degraus.

Seis horas para o poente. Ira para de interrogar a fotografia da mãe com o estrangeiro, está a ficar atrasado. Volta a pôr os panos no baú, o baú no lugar. Corre para a mangueira, tira os calções, lava-se com sabão de jari, fruto usado há gerações em Alendabar, deixa correr a água sobre a cabeça como se estivesse na cascata da montanha. Depois limpa vigorosamente o corpo, torce o cabelo, enrola nele a toalha, volta nu para dentro de casa e ajoelha-se no quarto, diante do espelho, seu altar de brilhos e talismãs.

Ursula acende o único cigarro do dia.

— Se calhar, vou provar as cinzas contigo — diz Felix.

Ela sopra o fumo para o céu:

— O que te fez decidir? — pergunta.

— Não sei. Acho que o pai ia gostar que eu não tivesse medo. Ele tinha medo de alguma coisa?

— De várias. É bom ter medo de várias coisas. Ficamos fortes contra o medo. Se não, somos só parvos.

— Por exemplo?

— Não ter medo nenhum do mar é parvo. Ou medo nenhum de amar.

— Tu não tiveste medo de amar o pai.

— Tive e quis ser forte.

Felix faz um círculo na água com a mão.

— Mas ainda me parece uma coisa esquisita, comer as cinzas — diz.

— Claro que é uma coisa esquisita — sorri Ursula. — É uma coisa rara. Por isso fizemos aquelas horas todas de avião, e andámos esta praia toda, e nunca mais vamos esquecer este dia. Se fosse uma coisa normal não estávamos aqui.

∴

Ira solta a toalha da cabeça, separa as longas mechas escuras, unta-as com uma pasta de frutos vermelhos e óleo de jari. O jari tem algo de ardente, flamejante. Quando seca, o cabelo cintila. Tal como a pele, porque a seguir Ira passa o óleo puro por braços e pernas, nádegas e tronco, deixando o sexo intacto. É a parte mais forte do seu corpo, um corpo leve com esta raiz ao meio. Sempre sentiu a força contida ali. Ao chegar à puberdade, durante os rituais na floresta, viu-a levantar como um totem. Assim coberto de jari, brilha em torno dele.

Desdobra o pano amarelo-gema, enrola-o nas ancas. Do lado esquerdo do espelho, tem os colares de conchas, de corais, de pedacinhos de osso: cobre o colo com várias voltas, várias cores. Do lado direito, tem as penas, as plumas, os corpetes, as faixas: escolhe uma carmim, ata-a por cima dos mamilos. Na cidade, houve quem se oferecesse para lhe pagar um peito de mulher mas ele não quis. E o amante gostava deste torso liso, de mamilos quase negros, macios.

Guarda o véu e as sandálias de cetim na bolsa, junto do que hoje vai precisar: gravador de som, macacão, pistola, difusor. Veste uma túnica velha, calça umas sapatilhas, pinta as unhas das mãos de amarelo-gema, também. No barquinho há-de pintar a boca, que antes disso chamaria a atenção. E, antes de entrar, colherá uma flor.

∴

Adormecido na pirâmide, o Rei sonha. Lembranças, medos vogando no espaço. Quebra-cabeças sem solução.

No sonho, aliás pesadelo, de hoje, o sexo do Rei está a ser devorado, e ele sua, arfa. A exposição do seu próprio sexo é o pesadelo mais frequente. Impossível saber se foi isso que levou ao prazer de ver o sexo alheio, ou vice-versa. Certo é que o prazer do Rei é ver o sexo alheio. Especificamente, um sexo de homem vestido de mulher. Por isso, a pirâmide tem um vidro especial entre as duas câmaras, quase até ao topo. O Rei vê a fantasia, mas a fantasia não o vê a ele.

Toda a sua vida sexual se concentra nessa transação. Pagar dá-lhe uma sensação de segurança. A cidade oferece-lhe um catálogo de opções. E a isso somou-se a subjugação da atual fantasia. Se ela ganhou um ascendente inédito, a ponto de decidir em que dia se encontram, é porque o Rei avançou um pouco mais no seu abismo, descobrindo que ser subjugado era parte do prazer.

É uma subjugação desde o primeiro instante. Ao contrário do que sempre acontecera, foi ela quem contatou o Rei pela via que ele só usa para isto. Ela ouvira falar das preferências dele nos circuitos da cidade, ela lhe fez chegar uma fotografia de cara velada. E o Rei, pela segunda vez na vida, achou que via a felicidade. A primeira vez fora dias antes, quando o bebé nascera.

Sim, porque esta feiticeira entrou na sua vida nem há um mês.

▲
▲ ▲

O condutor do jipe é a única pessoa nas terras do Rei que fala um pouco da língua de Zu, além da tradutora, que não conduz. Apresenta-se como sub-capataz. Vem de arma ao ombro.

Zu espera nunca mais pôr os olhos nestas pessoas, depois de comprar a propriedade. Será uma microrregião duplamente libertada. Livre também das manápulas do Rei, avaliando pelo que Zu já viu. E agora vê milhares de reses, lagos artificiais, pastagens, o erro em extensão, abatendo a selva.

O subcapataz explica que estão a avançar na direção do rio, junto ao qual fica a mina, e daí descerão para o terreno à venda. Quando o dique rebentou, a fiscalização da reserva natural quis mostrar trabalho, conter o fogacho ambientalista na cidade. O Rei foi proibido de abater árvores em toda aquela zona que colava com a reserva, incluindo a ilha fluvial, onde o leito do rio alarga. Como ia ficar com um bem malparado, decidiu vendê-lo. Demorou, pois a quem é que interessa uma selva que não pode ser cortada?

A resposta vai aqui no jipe. Zu limita-se a ver, ouvir, não faz perguntas. Nada mais cansativo do que passar muito tempo com estranhos. E, além de estranhos, carniceiros. Só quer que tudo isto termine rapidamente.

▲
▲ ▲

Aurora veste um macacão igual ao de Ira, muda a fralda ao bebé, dá-lhe um biberão, prepara a cesta dele. Só não pode ser vista a levá-lo, isso é decisivo. Terá de o deitar dentro da cesta, torcendo para que não chore. O palácio é grande, a ala de serviço é longe, ela vai sair pela porta do terraço, num instante chegará ao mato. A esta hora os servos andam nas pastagens, na mina. É quase impossível que alguém a veja.

O bebé sorri quando Aurora o deita. Ainda não tem idade para sorrir mesmo, mas parece. Que bom que és feliz, bebé, pensa ela, antes de o cobrir. Quando estiveres a salvo, vamos escolher o teu nome, e nunca saberás que alguma vez tiveste outro.

∴

Felix e Ursula caminham ao longo da margem do rio, em busca de morambas para misturar com as cinzas. Numa reentrância avistam uma canoa a flutuar, com um estranho animal esculpido na proa. Tem patas de mamífero, mas também asas e escamas. E na popa, agora que se aproximam, outro animal semelhante, voltado para trás, como se vigiasse a retaguarda.

Fascinado, Felix desce pelas ervas até chegar à proa.

— Já tinhas visto uma canoa assim? — pergunta.

— O pai mostrou-me uma enorme, aí cinco vezes o tamanho desta — diz Ursula, ajoelhando-se na margem. — Não a usavam para viajar.

— Então?

— Era uma canoa ritual, como se fosse um templo. Tinha vários seres esculpidos, parte peixes, parte pássaros, parte homens. Os ribeirinhos diziam que eram os guardiões de Alendabar. Eles têm uma história muito antiga com canoas. O pai apresentou-me a um velho que o ajudara, e esse homem contou-me a história da primeira canoa.

— Primeira no mundo?

— Quem sabe? Um dia, em algum lugar da Terra, uma canoa

pousou na água pela primeira vez, e em Alendabar os ribeirinhos acreditam que foi essa. Com ela os antigos aprenderam a navegar, até que decidiram fazer uma viagem longa, ver o que havia além do horizonte. Foram tão longe que chegaram onde o mar gelava. Já não podiam avançar mais, mas então viram três sóis.

— Três sóis como?

— Três sóis no céu. Isso acontece em algumas regiões geladas, quando o ar fica cheio de cristais. Uma ilusão óptica em que o sol parece ter um sol de cada lado.

— Foi o pai que te contou isso? Ele tinha visto?

— Tinha, em mais do que um lugar.

— O que é que a canoa fez quando chegou ao gelo?

— Voltou para Alendabar, contou o que vira. E o nome dela passou de geração em geração entre os ribeirinhos: Upa-la.

Felix arregala os seus grandes olhos amarelos.

— Upa-la! Adoro!

— Não é? Nunca me esqueci deste som. Vem da língua antiga de Alendabar.

— Que aconteceu a essa língua?

— Foi-se perdendo nas invasões, nos saques. Era uma língua difícil, com muitos tempos verbais, declinações, lembro-me de o pai contar. Ele estudou um bocadinho com uma linguista daqui.

Felix roda a canoa em busca de algum nome:

— Todos os barcos têm nome, não é? — diz. — Os pescadores dão sempre nomes aos barcos. Mas os carros só têm marcas.

— É verdade, nunca tinha pensado nisso — diz Ursula.

Ele vasculha o interior da canoa.

— Não vejo nenhum nome aqui. O que significa Upa-la, sabes?

— Ui — Ursula abana a cabeça devagar. — Era uma coisa bonita... Como era?

▲
▲ ▲

Ossi veste o macacão novo, igual ao de Ira e Aurora, e prepara um saco: pá, luvas, lanterna, binóculos, corda, faca, alicate, fósforos, lenço. Põe esse saco dentro de outro maior, de levar às costas. Almoçou bem, pode ficar o resto do dia sem comer. A mãe dorme a sesta, de boca aberta como uma criança. Ossi dá-lhe um beijo na testa e sai.

O homem que matou o pai e os irmãos manteve-se dono de Alendabar, terra, mar e ar à sua mercê. Mais gente desapareceu, gente apareceu marcada. Os mortos de Ossi continuaram assim a ser revividos, cada dia uma chamada. Isso tornou-se claro quando ele reencontrou Ira e Aurora.

Primeiro deu com Ira, antigo colega de quem nada sabia há muito. Certo dia, ao desamarrar o barco na praia, viu-o sentado junto ao cacto gigante. Quase não o reconheceu, ficou tímido. Ele tinha um cabelo tão comprido, era bonito como uma rapariga, parecia conhecer o mundo. Mas ambos partilhavam uma solidão, algo de nascença. Confiaram um no outro, e tudo veio daí, imediato.

Semanas depois, boiavam na água, veio Aurora, aquela menina da escola, tão branca, cabelo coruscante. Caminhara desde o palácio do Rei, vinha dar um mergulho. Não era tímida como Ossi, não conhecia as trevas como Ira, parecia a imagem do próprio nome: Aurora. Os dois a adotaram ali. E ela os adotou, num lance. Não só porque lançar-se era a sua natureza, mas com a urgência de quem pela primeira vez chocou de frente com o mal, e busca camaradas. Afinal, o mal não era só uma bruxa a dizer parvoíces, o mal roubava vida, o mal levava partes. O mal podia ganhar, eis a descoberta que a aturdia.

Clara fora entregue ao Rei à força, aos quinze anos estava a gerar-lhe um filho, ficaria ligada a ele para sempre, contou Aurora aos rapazes. Confiou neles como eles haviam confiado um no outro. E juntos acompanharam a gravidez, oito meses de aliança. Até que Clara morreu.

Como o mal ganhava! Sem os rapazes, talvez Aurora só tivesse pensado em levar o bebé. Sem ela, talvez eles não tivessem pensado em fazer nada. A revolta veio de estarem juntos. Iguais no luto, o pacto foi lutar. Fizeram um plano. Aproveitando o seu livre-trânsito nos domínios do Rei, Aurora começou a desviar explosivos da mina. Aos poucos, ao longo de semanas, de modo a ninguém dar conta, escondeu-os perto do rio, no ponto em que o leito alarga muito e está a ilha. Seriam fáceis de localizar, debaixo de uma morambeira com uma cova no tronco, a última para quem vem do mato.

São essas as coordenadas de Ossi. E ele chegará lá, de saco às costas, antes das duas da tarde.

O sol já começou a sua descida.

∴

Tudo correu bem, ninguém estava à vista no terraço. Aurora saiu com a cesta, atravessou a pista de aterragem, enfiou-se na selva. Nem dez minutos que pareceram séculos, sobretudo quando a meio o bebé chorou.

Agora, longe de olhares, no meio das árvores, já o pode resgatar da cesta. Embala-o, protegida pelas copas, aquele céu verde que conhece desde sempre. O bebé não chora mas também não sorri, talvez estranhe tudo, nunca saíra de casa. Aurora estende uma manta no chão para o pousar, tira da cesta o pano de traçar ao peito, ajusta-o sobre o seu macacão, enfia o bebé nele, uma perna para cada lado, nuca bem segura. Um braço para pôr a cesta ao ombro, outro para amparar a cabeça minúscula, e faz-se ao caminho, alerta como na guerra. Tem de chegar à ponte de madeira. E depois de transpor o rio são dois quilómetros a subir, na direção da montanha. Nada que Aurora não vença, com as suas coxas de acrobata, sempre à sombra das árvores.

E agora, meu querido, murmura ao ouvido do bebé. Como te vamos chamar?

∴

No sonho que acontece dentro da pirâmide, o sexo devorado já saiu de cena, não se sabe em que estado. Agora, o Rei sonha que está a voltar ao palácio e sobe os degraus do terraço, que imediatamente se transformam na escadaria de uma grande pirâmide. Corre por ela acima, nunca mais chega ao fim, são centenas, milhares de degraus. Quando enfim termina, vê o berço do seu filho: o sol do equinócio ilumina-o, qual aureóla de um santo. Mas, ao inclinar-se sobre ele, o berço está vazio. O berço está vazio! O BERÇO ESTÁ VAZIO! As palavras repetem-se dentro da cabeça do Rei, ele olha embaixo, à volta, pelo chão, num frenesim. Então, a escadaria desaparece, é no palácio que está, de novo. Percorre os quartos, grita com os servos, começa a atirar coisas para o chão, a partir tudo, agarra os cabelos, arranca-os às mãos-cheias, berra. Subitamente, corre de volta ao berço, revira-o, rasga-o em tiras, depois destapa o cesto do lixo, vê uma fralda enrolada lá dentro, abre a fralda: excrementos frescos! Toca-lhes, estão quentes. Acabaram de sair do corpo do seu filho. E onde está ele????? Enlouquecido, o Rei barra a cara com os excrementos, come-os. Berra tanto que o berro sai para fora do pesadelo e ele acorda.

Acorda.

Olha as paredes de terra, o sol no vértice de vidro. Chora de alívio: foi só um pesadelo! Tem de pagar a um médico para não ter mais estes pesadelos horríveis. Respira: huuuuuuuuuuuu.

Está tudo bem. Tudo bem. A qualquer momento ela vai chegar. Ela vai acalmá-lo. Ela vai fazê-lo feliz. Serão todos felizes, ele com ela, e depois ele com o seu rebento. Que felicidade poder esperar por ela e depois o seu rebento estar à espera no berço. Aliás, parece que já ouve o barco dela na água, esse som que já o prepara, já o levanta. Tem de se recompor.

Ela vem lá, com as suas saias, os seus colares, a sua boca pintada, o seu véu cobrindo testa, olhos, nariz, aquela flor presa na orelha, e aqueles cabelos faiscantes, chamejantes, que caem ao longo do tronco, aquele peito nunca visto, aquelas pernas afastadas, invisíveis, debaixo do pano, os pés nas sandálias, vertiginosas, e ao centro, no auge, o sexo exposto, disposto para o espectador. Esse deus que aponta o céu.

CINCO

O amor entrou no coração do monstro. Era o que de fora parecia, vendo o Rei com o bebé, o que os servos diziam, o que corria em Alendabar. Mas Aurora sabia que isso era só a consumação do amor-próprio do Rei à custa de Clara. Não era amor, era crime. Aurora não ia cair na esparrela.

Porém, o espetáculo desse amor ao longo de um mês, o seu carinho dentro da crueldade, a sua entrega dentro do egoísmo, fê-la ver como tudo é mais complicado do que apenas o mal ganhar. Como tudo é pior.

O que Aurora viu, ainda que não ache palavras para o dizer, foi como o mal está misturado no bem. Que a sua força, a sua sabotagem, o seu verdadeiro fim, é confundir-se de modo a que seja impossível separar as pessoas em boas e más. O mal sabe não ser absoluto, faz-se relativo, é um infiltrado, um espião, o impostor do bem. Aurora viu isso no Rei, quando o bebé nasceu. O mal camuflando-se, apropriando-se do bem, qual parasita. Nem nenhum monstro conseguiria olhar para o espelho todas as manhãs sem se ver, por exemplo, como pai extremoso. A tal ponto que, um dia, diante do Rei com o bebé ao colo, Aurora deu por si a perguntar se o bem seria apenas um truque do mal. O truque que lhe permite ser eterno. Um pensamento terrível, porque a partir daí é fácil dar o passo para desistir do bem, e a seguir da vida. Então Aurora parou de pensar nisso. Pensou que pensar nisso é que era um truque do mal para nos desorientar, até não acreditarmos em nada. E quando não acreditamos em nada o mal ganha. Não podemos esquecer quem é o verdadeiro inimigo. O bem não é um truque do mal. O bem é acreditar que o mal não levará tudo. O bem é a luta.

Cinco horas para o poente. Como era aquele nome da primeira canoa?, matuta ela, quase voando no mato, com o bebé ao peito. Upa-la! Ira não chegou a explicar o que queria dizer, mas era esse o nome. Ela gostaria que o bebé tivesse um nome assim antigo, tão forte que ninguém o tenha conseguido apagar, forte contra qualquer inimigo. Upa-la: toda a gente ia chamar-lhe Upa. Só Upa já é bonito.

Pouco acima da pequena canoa com as criaturas esculpidas, Felix e Ursula acham uma morambeira.

— Parecem maduras — diz Ursula, apalpando as morambas.

Felix colhe uma. É redonda, pouco menor do que a palma da sua mão. Se a apertar, ela cede.

— Está madura — confirma. — É doce?

— Nem por isso. Mas é muito nutritiva. Macia, quase manteiga. Já vais ver.

Ele não está convencido.

— Onde nos vamos sentar para comer? — pergunta.

Ursula tira o chapéu, refaz a trança.

— Que tal voltarmos à canoa? Parecia um bom lugar.

Felix anima-se:

— Achas que cabemos lá dentro?!

A mãe ri.

— Não é lá dentro. Não sabemos a quem pertence, nem para que serve.

— Então? Junto a ela?

— Sim, e depois vamos lançar o resto das cinzas na foz.

Felix cheira a moramba.

— Não sei se vou gostar disto… E se não gostar?

— Provas só um pouco. Se quiseres.

Ursula pousa as mãos nos ombros do filho. Os olhos dele estão imperscrutáveis.

— Felix: tu é que decides. E não vais fazer uma coisa para não teres medo. Vais fazê-la se quiseres. Se pensares que isso pode ser bom para ti. Há coisas que dão medo porque são muito diferentes do que estamos habituados, mas se pensarmos um bocadinho se calhar vão ser boas. E há coisas que dão medo e não são mesmo boas para nós. Não tens de fazer o que eu faço, e não tens de fazer uma coisa porque tens medo de ter medo.

As pestanas dele sobem e descem.

— Combinado? — pergunta Ursula.

Felix acena com a cabeça. Ursula não faz a menor ideia do que lá vai dentro. Ele põe as morambas no saco e começa a fazer o caminho de volta até à pequena canoa.

— Chegaste a ver a canoa do pai? — pergunta.

— Cheguei — Ursula caminha atrás. — No dia seguinte à chegada, ele mostrou-ma.

— Era bonita?

— Era, mas não tinha nada esculpido.

— E tinha nome?

— Tinha. Chamava-se Aurora. Porque era o nome que ele daria a uma filha.

Felix para.

— Quer dizer que eu podia chamar-me Aurora.

— Se tivesses nascido rapariga — Ursula sorri. — Quem sabe.

∴

Embalado na caminhada, o bebé adormeceu. Aurora acaba de ter uma ideia. Vai perguntar à mãe o que quer dizer Upa-la. A mãe conhece a língua antiga de Alendabar, é o trabalho dela. Pode não conhecer a história da primeira canoa, mas deve saber o que significa o nome.

∴

O sub-capataz estaciona o jipe na margem do rio, diante de dois barquinhos ancorados. É aqui que o leito alarga e existe a ilha que Zu viu do helicóptero, um pedaço de selva flutuante. Todo um ecossistema, espera ele.

Sobem para um dos barquinhos, Zu enterra o chapéu na cabeça. O sol ainda está bem alto.

Enquanto rema, sempre de arma ao ombro, o sub-capataz explica como o rio ali é fundo, pergunta se Zu sabe nadar. Zu, que nunca nadou bem, diz apenas que não costuma nadar. O subcapataz dá uma gargalhada e revela que de qualquer forma este é o território do peixe-gancho, tem a ver com a profundidade, o tipo de fundo. Zu diz que nunca ouviu falar no peixe-gancho. O sub-capataz esclarece que é um peixe carnívoro com um gancho na ponta, crava-o na vítima para a devorar. Isso quer dizer uma coisa, conclui o subcapataz, escarninho: ninguém nada nestas águas.

∴

Ossi andou rápido. Quando chegou à morambeira onde Aurora escondeu os explosivos, ainda se viam os dois barquinhos ancorados adiante, sinal de que o convidado do Rei ainda não chegara. De cada vez que um forasteiro vem, há uma folha horária e o Rei dá instruções precisas. Não quer mais fiscais a cheirar nas suas terras. Ninguém se pode aproximar do forasteiro, e tudo tem de ser controlado. Aurora sabia a que horas o jipe partiria do palácio, a que horas chegaria aqui.

Aí vem ele. Atrás da morambeira, que tem cinco vezes a sua largura, Ossi vê o subcapataz estacionar o jipe, entrar no barco com Zu e rumarem à ilha. Em ritmo de passeio, levando duas pessoas a bordo, são quinze minutos a remar.

Ossi tira o saco pequeno do grande, retira o pedaço de madeira com que Aurora tapou a cova da árvore, liga a lanterna, calça as luvas e começa a passar os explosivos para dentro do saco. Está totalmente protegido pelo tronco, impossível ser visto da água.

Quando termina, pega nos binóculos, verifica como estão as coisas no rio. O barquinho vai a meio. Ossi segue-o com os olhos até à ilha, vê Zu e o subcapataz entrarem na selva. Então, guarda os binóculos, põe o saco ao ombro e corre para o barco que sobra na margem de cá. O peito bate-lhe à velocidade da luz, desafia a morte de frente. Sozinho, com o seu treino de remador, alcança a ilha em poucos minutos. Levanta a âncora que lá está, amarra os barcos um ao outro e traz os dois de volta.

Já houve quem morresse nas terras do Rei por muito menos. Bastaria o subcapataz ter voltado atrás para atirar, Ossi sabe bem. Esta era a sua primeira hipótese de morrer hoje. Pode riscá-la, avançar para a seguinte.

∴

O bebé salvou Aurora antes de ela o salvar. Na própria noite do nascimento, salvou-a. Ali estava ela, prostrada no escuro, no exterior do palácio, Clara acabava de morrer. E de repente, a voz do perito vinda pelo buraco do ar condicionado tirou-a do choque. O bebé não era do Rei. O bebé era de Clara e não era do Rei. Então era possível salvá-lo! Antes do pacto, antes do plano, antes de Aurora falar com os rapazes, o que a fez levantar do chão nessa noite, o que a impediu de pensar em morrer, foi ter uma tarefa urgente: tirar o filho de Clara das mãos do monstro.

Nos primeiros dias hesitou contar à mãe. Os pais não tinham ficado animados com a ida dela para o palácio, acompanhar Clara. Mas era tão triste aquela gravidez, e Aurora estava tão revoltada, que encararam os nove meses como a despedida das duas, o tempo que teriam para encerrar a infância. Depois da morte de Clara, porém, já não era tão fácil entender por que Aurora não voltava para casa.

Voltou apenas de passagem, quando o corpo de Clara foi levado para a aldeia. Aí já havia o pacto com Ira e Ossi, um esboço de plano até. E, por isso, para proteger os preparativos, Aurora adiou contar à mãe que o bebé não era do Rei. Disse-lhe só que precisava de cuidar um pouco dele, fazer parte do luto. Ao fim de um mês voltaria para casa, prometeu.

Esse dia é hoje, e ei-la quase a chegar. Hoje vai contar à mãe, precisa da ajuda dela. Não sabe como será a reação, mas a mãe é uma pessoa especial. E as duas têm um segredo que mais ninguém conhece.

Felix estende a toalha na margem do rio, diante da pequena canoa. As duas criaturas oscilam na água, uma voltada para trás, outra para diante. Mãe e filho sentam-se em paralelo, ela alinhada com a proa, ele com a popa. Tiram do saco duas taças, duas facas, duas colheres, e cada um abre a sua moramba, depois esmaga-a, até ficar uma polpa. Felix cheira, prova um pouco.

— Hum… — franze a testa, a avaliar. — Não é mau. É macio.

Ursula abre a bolsa que traz a tiracolo, retira a caixinha das cinzas, várias vezes embrulhada no lenço que Atlas usava ao pescoço, macio de tão gasto. Pousa-a entre ambos e começa a desembrulhá-la. É um grande lenço para uma pequena caixa. Não a veem desde a cremação.

∴

«Filha do pecado. Pergunta à tua mãe pelo estrangeiro.» No dia em que a bruxa lhe disse esta frase, há tanto tempo já, Aurora quis perguntar à mãe o que aquilo queria dizer. Só que com a casa sempre cheia de gente nunca ficavam as duas sozinhas. E Aurora estava a entrar na puberdade, muita coisa a acontecer no corpo, na cabeça. A bruxa era maluca, não ia ficar a pensar nas parvoíces dela.

Até que, na manhã seguinte ao funeral de Clara, se sentou no murinho de casa depois de tomar banho, como tantas vezes, e a sensação do sol na cabeça molhada trouxe-a de volta aos doze anos, ao momento em que a bruxa aparecera ali, dissera aquilo. Aurora não tinha ido ao funeral, só quisera seguir o corpo até à aldeia, saber onde ficaria enterrado. Nunca mais se cruzara com a bruxa. Mas aquele sol bastou, a lembrança veio, vívida. E ela já não tinha doze anos, acabava de assistir a um nascimento, a uma morte. As palavras pareciam ecoar de outra maneira: «Filha do pecado. Pergunta à tua mãe pelo estrangeiro.» Numa angústia súbita, pulou do murinho e correu para casa. O almoço estava a ser feito, a mãe andava na cozinha, entre filhos, filhas, noras, genros. Aurora disse-lhe ao ouvido que precisava falar com ela. A mãe pensou que era por causa de Clara, saíram juntas para o quintal, foram sentar-se longe de todos.

A testa da mãe brilhava com fios brancos, mas os olhos continuavam novos. O primeiro filho nascera aos vinte anos, ela ia fazer sessenta, e continuava a ser a mulher mais bonita que Aurora conhecia. Nunca se zangara com ela, nem imaginava zangar-se. Só precisava entender. Foi o que disse, ali sentada.

Fixando um ponto na erva, a mãe abanou lentamente a cabeça, como se algo acordasse lá no fundo. Começou a contar então que, no ano antes de Aurora nascer, um investigador estrangeiro aparecera a bater-lhe à porta. Soubera que naquela aldeia morava uma perita na língua antiga de Alendabar. Ela só dava aulas na cidade um semestre por ano, estava na sua temporada mais livre. Recebeu-o, mostrou-lhe gravações, apresentou-o a alguns mais-velhos. Era um homem de quem parecia impossível não gostar. Interessava-se por tudo e todos, tinha uma grande gargalhada e um jeito de desarmar o mais desconfiado. Ao fim de uns dias, as crianças penduravam-se nele. Ao fim de uns dias, ele já aprendera mais do que qualquer aluno num semestre. E como a língua antiga era complexa. Só tempos verbais, ela continuava a descobri-los. O grande tema dele era o céu, de que modo os antigos se relacionavam com as estrelas, os planetas, que nomes tinham para eles, que vestígios havia dessa relação. Até que chegou o último dia dele ali, ia partir na manhã seguinte para a aldeia dos ribeirinhos. Combinaram ir juntos à montanha, para ela lhe mostrar uma inscrição muito antiga.

Aqui, a mãe inspirou fundo, fez uma pausa. E tal era a ansiedade de Aurora, mistura de pânico do que podia ouvir com oito meses de fúria, a morte fresca de Clara, noites sem dormir, que algo ruiu dentro dela, e ela quase gritou: sou filha desse homem?! Lágrimas rolando pela cara, desatou a perguntar: mãe, eu sou filha desse homem? O que é que aconteceu na montanha? Ficaste grávida? É isso? Até que a mãe, atordoada, a agarrou, dizendo: não, que ideia, não é nada disso. Continuou a repetir, que ideia, que ideia, enquanto Aurora chorava convulsivamente nos seus braços. Depois disse: o que eu ia contar era que quando descemos da montanha nos cruzámos com a mãe da Clara. E esse estrangeiro, que parecia incapaz de dizer algo menos agradável sobre alguém, comentou, aquela mulher não é boa. Tal foi a forma como ela nos olhou. Foi só isso, querida, durante anos ela guardou isso, e um dia o veneno veio cá para fora. É uma mulher doente, não podes deixar que te faça mal.

Aurora soluçava. Quando se acalmou, foi para insistir: a sério? Não aconteceu nada entre vocês? Aí, a mãe disse apenas: não... Mas a voz saiu tão melancólica que Aurora levantou a cabeça e viu os olhos dela cheios de lágrimas. A mãe sorria mas tinha os olhos cheios de lágrimas? O que foi, mãe?, perguntava Aurora, porque estás a chorar? E a mãe ria, e dizia, desculpa, e limpava as lágrimas. E depois disse: nunca falei disto a ninguém, mas nunca me esqueci desse homem. Foi por causa dele que te chamei Aurora. Ele disse-me que se tivesse uma filha lhe chamaria Aurora. Se calhar chamar-te Aurora foi a forma de ficar com um bocadinho dele, não sei. Isto não tem nada a ver com o pai, entendes? Nada. Foi uma coisa independente de tudo, que aconteceu naquele momento. Uma pessoa especial no mundo que se cruzou comigo. Cruzámo-nos os dois, e isso é uma coisa só nossa, minha e dele. Nunca contei a ninguém, e estou a contar-te como um segredo. Não sei. Há muitos anos que não pensava nisto. Nunca mais pensei nisto.

Aurora tinha tantas perguntas. A mãe estava a chorar por causa de um homem que aparecera aqui há tantos anos? Voltara a falar com ele alguma vez? Onde estava esse homem? E se a bruxa nunca tivesse dito nada a mãe nunca contaria a ninguém?

Que difícil era a vida dos adultos. Que estranha. Parecia que estava a envelhecer anos de repente.

Entretanto, a mãe chorava em silêncio porque chamar-lhe Aurora fora um fruto do que acontecera, e contar isso agora era outro fruto, não magoando ninguém. Se Aurora aos doze anos lhe tivesse perguntado, só teria ouvido de volta que a bruxa era parva. Porém, ali sentada diante da filha, já adulta, a viver o seu primeiro luto, não conseguia esconder o luto que ela mesma não chegara a fazer, porque havia sempre tanta gente a precisar da sua atenção, nunca estava sozinha. Tinha de dizer à filha que não acontecera nada na montanha mas acontecera algo, como tantas vezes acontece, e as pessoas tapam para alguém não ficar magoado. Tinha de dizer isso porque era o mais longe que podia ir. O mais que podia dar à filha sem fazer mal a ninguém.

A verdade toda ia além disso. Mas a probabilidade de ter engravidado era quase nula, nunca duvidou. Aurora é tão branca, tão ruça, como a sua avó materna era. E contar tudo o que acontecera na montanha ia torná-la refém de uma dúvida para sempre. O segredo que as duas agora partilhavam tinha de se ficar pelo passado, e pela vida da mãe, deixando a filha livre.

À vista da pirâmide, Ira amarra o barquinho, sobe pelo barranco, colhe uma flor para prender na orelha, e antes de entrar calça as sandálias altas de cetim.

O acordo com o Rei é que não há diálogo dentro da pirâmide. O Rei tem horror a expor a própria voz no ato, do que poderia dizer, do que se poderia ouvir, ou que isso quebre a fantasia. De início, explicou por escrito o que gostaria que ele fizesse e dissesse. Ou, ela fizesse e dissesse. E é o que Ira tem feito e dito, aparentemente melhor do que ninguém, ou do que o Rei seria capaz de imaginar, porque a verdade é que, tanto quanto possível, o Rei está obecado por ele. Por ela.

Ira não sabe como é ver do lado de lá, nunca entrou na outra câmara. Do seu lado, o vidro que o separa do Rei é negro como um ecrã, ou uma superfície de obsidiana. Uma treva brilhante, que apenas devolve o reflexo de quem olha. Se o Rei não fosse o Rei, e o plano dos três não obrigasse a isto, Ira nunca estaria aqui. Está aqui pela avó, morta no rio, empurrado pelo dique que rebentou. Está aqui pelo pai e pelos irmãos de Ossi. Por Clara, morta aos quinze anos. Pelos servos, mais de cem. Pelo gado, pela terra, pela selva, pela orla. Está aqui para que o mal deixe de ganhar tanto. Mas, para chegar ao ponto em que isso seja possível, tem de levantar o seu totem bem alto, fechando os olhos por trás do véu, sozinho com os seus deuses.

Então é o que faz, neste momento.

QUATRO

— O pai queria conhecer outras galáxias, outras eras — diz Ursula. — Tinha essa solidão, não parar, estar sempre à procura. Ao mesmo tempo, tratava as pessoas como se elas fossem capazes de coisas incríveis. E, como elas queriam estar à altura, ficavam mais fortes por causa dele.

— Sim, eu também — diz Felix. — Porque te lembraste disso?

— Estou a pensar no que vi nele desde o início, aqui. A maior parte das pessoas não percebe bem o que dá força aos outros, então tira-lhes força em vez de dar. A atenção das pessoas é muito limitada, em geral. Mas a atenção do pai era fulminante. Ele captava o que podia ser fortalecido e concentrava-se nisso. Fazer alguém sentir-se capaz de tudo é um dom muito raro. Talvez o grande dom dele fosse esse, as pessoas sentiam-se especiais porque ele parecia acreditar tanto nelas.

Quatro horas para o poente. A caixinha das cinzas continua pousada entre ambos, já livre do lenço. Ursula abre-a, tira um pouco com os dedos, espalha na polpa da fruta. Felix repete o gesto da mãe, depois afunda as cinzas com a colher.

— Nunca pensaram viajar vinte mil quilómetros para isto — diz, olhando o interior da taça. — Mas parece que há células do meu corpo que ainda não sabem que o pai morreu, porque continuo a pensar em contar-lhe isto ou aquilo… Sabes?

— Sim, eu também — diz Ursula.

— Então, agora ele vai chegar a todas as células.

No interior da ilha, Zu não sabe o nome de nada do que vê: árvores, pássaros, insetos, flores. Pinga continuamente da testa, tem a roupa colada ao corpo, tudo lhe pesa o dobro, incluindo respirar. O cheiro é pútrido e o chão cede sob os pés, um húmus de folhas, frutas, dejetos, vísceras, matéria em decomposição que alimentará a floresta num ciclo perpétuo, de baixo para cima, de cima para baixo.

Não há um trilho, apenas o vestígio do que já foi calcado. O subcapataz leva uma catana e vai golpeando à direita e à esquerda, a ganhar espaço. Zu preferia que ele não fizesse isso, mas não tem força para abrir a boca. Sente-se atordoado pela forma como o silêncio não existe, é um magma de zumbidos, rumores, assobios, roçagares, a toda a volta. Seria perfeito não ver o subcapataz. Mas também seria incapaz de estar aqui sozinho. Existem répteis tão carnívoros em terra como os peixes-gancho na água, informou o subcapataz. Ainda bem que o plano de Zu está longe de ser uma estância de férias. Terá de instalar uns craques bravos aqui.

Não há relato de qualquer humano ter passado a noite na ilha, avisou o subcapataz. E não há sinal para comunicar. O barquinho é a única ponte que os liga ao mundo.

∴

Quando Ira ouve um sino, sabe que o Rei está pronto para a segunda etapa. A primeira é a da contemplação, que o leva ao clímax. Na segunda, o Rei veda os olhos, deita-se no divã e ouve a voz da fantasia, para prolongar o momento.

Eis o ponto em que o encontro de hoje se vai distinguir dos anteriores. Ira aciona o pequeno gravador que trouxe preparado, com a sua voz dizendo tudo o que o rei espera ouvir. A seguir, aperta o véu em volta do nariz e da boca, tira o difusor da bolsa, quebra a patilha de segurança e pousa-o junto ao vidro de separação. Então, pega na bolsa e sai da pirâmide. Como o vidro não chega ao topo, o ar circula bem entre as duas câmaras.

∴

A esta hora, em casa de Aurora, está toda a gente na escola ou no trabalho, menos a mãe, que a aguarda. Muitos bebés nasceram nesta casa, há berços de reserva. Aurora leva um para o seu quarto, instala o bebé, troca-lhe a fralda, aquece um biberão. E, enquanto o dá, conta o essencial à mãe, perplexa: que o bebé não é do Rei, que vai ficar com ele, e que depois do que está para acontecer hoje toda a gente o julgará morto.

A mãe teme que a filha esteja fora de si. Aurora entra em detalhes sobre o que se passa nos domínios do Rei, revela o plano que fez com Ira e Ossi. A mãe fala em denunciar o Rei, Aurora lembra as vezes em que a denúncia não adiantou, mais gente ficou refém, morreu. A polícia é o Rei, resume ela. Se o seu vocabulário fosse mais político, diria que o Estado é o Rei. Ao longo da meia hora que dura este embate, a infância acaba em definitivo. Aurora nunca se sentiu tão clarividente, tão invencível. Consegue um acordo provisório. O bebé ficará ali por umas horas. A mãe contará alguma história à família para justificar o som de algum choro, por exemplo que uma estudante sua, mãe recente, precisara de abrigo. Qualquer coisa. Numa casa que já abrigou tanta gente ninguém vai estranhar. E Aurora promete voltar à noite.

É a conversa mais difícil que já teve na vida, convencer a mãe a deixá-la partir. Na verdade, pela primeira vez, ser ela própria mãe, ter essa autoridade. De tal modo, que a mãe, agora avó, a reconheça, por mais inverosímil que tudo pareça ser. Por mais inédito.

Mas é um dia inédito, este.

▲
▲ ▲

Com o alicate que era do pai, Ossi corta a vedação perto do dique. Ira anda muito perto. Se tudo correr como previsto, deve estar a fazer tempo no exterior da pirâmide.

O destino de Ossi é o matadouro, nem uma centena de metros. Ao fim da manhã, os servos que abateram as reses foram reforçar o abate do mato, para expandir as pastagens. A porta do matadouro terá sido trancada. Ossi não precisa entrar, nem vai afastar-se das traseiras do edifício, apenas quer ter a certeza de que não há ninguém lá dentro. Trepa pela tubagem até às pequenas janelas junto ao teto. Sente o ar acre, das centenas de pedaços esquartejados. A carne é guardada de imediato, mas os ossos ainda não foram levados. Junto aos frigoríficos, reluzentes de inox, alinham-se contentores a transbordar de rótulas e tíbias, crânios e rádios, úmeros e fémures. Toneladas de osso para rentabilizar, vender a quem os transforma, porque nada se perde: fabricantes de bancos e cadeiras; de botões, pentes, cabos de facas, peças de xadrez; de porcelanas, às quais o osso da rês confere translucidez, depois de cremado, misturado com feldspato e argila. Ossi nunca viu nada assim. Parecem ossos humanos.

Pula para o chão. Tira a pá do saco, escava três buracos em torno do matadouro. Põe um explosivo em cada e cobre com terra, deixando só os rastilhos à vista.

No exterior da pirâmide, Ira troca as sandálias pelas sapatilhas, desamarra o pano, tira a faixa do peito e todos os colares, menos o que sempre usa junto ao pescoço, de conchinhas enfiadas pela avó. Guarda tudo na bolsa. Depois, veste o macacão, entrança o cabelo, enrola a trança no alto da cabeça. E a boca continua carmim, as unhas, amarelo-gema, nada que atrapalhe o movimento, pelo contrário. É a musa e o amotinado, nem só uma, nem só um.

Passaram dez minutos desde que saiu da pirâmide. Ao fim de dois, o Rei terá adormecido sem dar por nada, porque o narcótico libertado pelo difusor é inodoro. E agora seguem-se doze horas de sono profundo. Ninguém sabe onde o Rei está, os seus dois homens de confiança apenas podem mandar-lhe mensagens. O que o subcapataz, preso na ilha, não conseguirá fazer.

E, em breve, o capataz também não.

Aurora voa pelo mato, de volta aos domínios do Rei. Se à ida um ser alado a levava, agora serão dois. Já não tem bebé, já não precisa olhar para os pés, tem de recuperar o tempo extra que gastou a argumentar com a mãe. Mas pode jurar que aquele mato, aquela floresta, aquela selva está a torcer por ela, por Clara, pelo pacto dos três.

Upa-la! Esqueceu-se de perguntar à mãe o que queria dizer! Também teria sido impossível, no meio do embate. Mas quanto mais repete o som, mais gosta. Upa-la!, diz alto, como se falasse com as árvores: as lurias, os timbaus, as salpiras, as morambeiras. As morambeiras devem saber o que quer dizer Upa-la. Não só a primeira canoa nasceu de uma morambeira, como todas as outras são suas descendentes.

▲
▲ ▲

Há dezoito anos, quando Ursula caiu na praia depois de quase se afogar, a primeira pessoa em quem pensou, na alegria de estar viva, foi em Atlas. A encosta negra do vulcão estava atrás da cabeça dela, em frente tudo era luz, o sol ardia por cima das pálpebras fechadas. Mas de repente ficou tudo escuro. Ursula teve um sobressalto, as pálpebras abriram: Atlas, de pé, tapando o sol. Sorria, com aquele olhar onde parecia caber tudo, longos passados, largos futuros. Ajoelhou-se, pegou na mão dela, perguntou-lhe se estava bem. Ursula disse que quase se afogara, que fora estúpido ir tão longe, mas o mar estava tão manso, nem parecia o da véspera. Ele disse, pois é, acho que conheço esse inocente, e deu uma gargalhada. Ela respirou fundo, sentou-se com a ajuda dele, a cara a arder do sol e do sal. E estavam tão perto, ele curvado sobre ela, ainda agarrando-lhe a mão, que ela quase se viu, como se estivesse de fora, a aproximar a cabeça até o beijar. A boca encostou na boca, ela abraçou o pescoço dele, e no minuto seguinte já lábios, língua, dentes rodavam sob aquele sol que ainda guarda 4,5 biliões de anos. Ao abrir de novo os olhos, Ursula teve a certeza de que a vida mudara. Sabia lá como, para onde, mas era irreversível. Ele então pôs-se de pé, pô-la de pé, e levou-a até sua casa, onde já estivera ao amanhecer. Por isso, Ursula não o vira ao acordar na rede dos vizinhos.

A casa de Atlas era uma cabana coberta de jalurana, como todas. Junto à entrada havia vários potes, ele levantou um e verteu água devagarinho, para Ursula tirar o sal. Ela despiu o biquíni, entrou naquela pequena cascata, ele deu-lhe um sabão com um cheiro desconhecido, jari, disse, ela ensaboou-se, era muito escorregadio, e depois de passar água a pele vibrava. Atlas segurou um segundo pote para ela enxaguar o cabelo, longo até às nádegas. Desapareceu, voltou com uma toalha, em seguida com uma fruta roxa que Ursula nunca vira. Tinha um sumo espesso, macio: napu. Só existe em Alendabar, disse ele. Ainda trouxe uma cabaça de frutos secos, comeu com ela. Finalmente, afastou o pano por cima da entrada: cá fora, havia uma cama de rede, mas lá dentro uma esteira larga, com panos coloridos de algodão.

Enrolada numa toalha, a vinte mil quilómetros de casa, com um homem que vira pela primeira vez havia menos de vinte e quatro horas, o medo que Ursula sentia era já só medo de o perder. Nada tinha importância, nem que amanhã ela morresse, pensou. Ele teria rido desse pensamento dramático. Mas, como não o ouviu, pegou nela ao colo e deitou-a na esteira, pousando os longos cabelos atrás da cabeça. Depois soltou a toalha.

Ursula ficou completamente nua, com as suas pernas magras, as suas ancas estreitas, a sua cicatriz do apêndice, o seu púbis não depilado, os seus peitos de vinte anos, mais amplos do que as ancas prometiam, constelações de sinais entre cada um. E os cabelos eram um cocar em volta da cabeça, um alto cocar negro.

Então, Atlas tirou a roupa. Parecia saído de uma aventura mitológica, só que totalmente carnal, um ex-atleta de juba leonina com a ténue lembrança de alguns músculos e muitos quilos a mais, sexo levantado quase sem curva. Deitou-se, debruçou-se, disse que era maravilhoso não saber nada dela, perguntou se ela queria saber como se dizia em Alendabar quando uma coisa assim acontecia. Ela disse que sim, e então ele disse, dalu-damurai: tu para mim.

É nisto que Ursula agora pensa, com a taça de moramba na mão, ao cumprir a promessa que mentalmente lhe fez, quando Atlas perguntou se ela comeria as cinzas dele. A resposta era sim, continuou a ser sim, e é sim.

TRÊS

Ira contorna a pirâmide até à porta do Rei, véu bem apertado contra boca e nariz. Inspira fundo como se fosse mergulhar, prende a respiração e entra: o Rei jaz de boca aberta, nu da cintura para baixo. Ira não quer guardar a imagem daquele corpo. Nunca o viu, nem nunca o verá, pensou nisso muitas vezes. As imagens são espíritos, perseguem-nos até dentro dos sonhos, têm um poder. Ira aprendeu a ser implacável com elas, de tantas que não devia ter visto. Os seus olhos vão direto à roupa caída no chão. Tira as chaves de um bolso, do outro o aparelho das mensagens, e sai, fechando a porta.

Nem meio minuto.

Expira fundo, fecha os olhos. O som mais alto da floresta é o seu coração.

Três horas para o poente. Aurora está na descida final. Caminha contra o sol, por vezes às cegas, sempre que um raio fura o mato de repente.

Para este mato fugiu mal começou a andar. Aqui passou a sua primeira noite ao relento, quando os pais a julgavam acampada. E aqui deu o primeiro beijo, numa tarde como esta. Um raio furou o mato de repente, Clara fechou os olhos, ofuscada, e Aurora beijou-a na boca, como um primo fizera com ela dias antes, não medindo a força, só impulso, só confusão.

▲
▲ ▲

Última hora de trabalho nas terras do Rei. Logo a seguir, os servos vão formar uma fila para receber os tostões a que tenham direito, descontado o que devem em dormida, comida, luz, água, farda, utensílios. Acumulam mesmo muita dívida a trabalhar para o Rei. Na óptica dele, sem este abrigo andavam lá fora a roubar, a matar, a morrer à fome. Assim têm tudo pago, e ainda sobra para a pinga ao sábado. O acerto de contas é feito no extremo oposto ao matadouro e ao alojamento dos servos. Portanto, a não ser que haja alguém doente, as camaratas devem estar vazias, neste momento.

É o que Ossi agora confirma, voltando a trepar pela tubagem nas traseiras, como fez no matadouro, com a diferença de que aqui são várias camaratas, uma a uma desertas. Vê enxergas, roupas velhas, sapatos velhos, paredes encardidas com fotografias de família meio tortas, a desbotarem, a descolarem, e nesse instante podia degolar o Rei, dar a cabeça dele a aves necrófilas. O seu corpo forte de pescador é pequeno demais para o ódio que sente ao imaginar que a fotografia da mãe, dos irmãos, esteve nestas paredes. Que a sua própria fotografia de recém-nascido podia ter sido colada aqui, se os irmãos não tivessem vindo libertar o pai naquela noite.

Então pensa algo novo: que eles também morreram pela sua liberdade. A morte deles tornou-o de certo modo refém, é o que o faz estar aqui agora, a espreitar por respiradouros miseráveis. Mas cresceu impossível de vergar, nada o define tanto. E o dia de hoje é para resgatar os mortos, os reféns. Espalhar a liberdade.

Pula para o chão, abre vários buracos em torno do edifício, enterra os explosivos, deixando o rastilho visível. Parte com o saco bem mais leve.

∴

Felix ficou fã das morambas.

— Podíamos levar algumas — diz.

— Sim, colhemos junto à duna, quando formos embora — diz Ursula. — Já tens os corais, e ainda vamos andar quilómetros.

Acabam de voltar à foz. Vindos como vêm do interior do rio, tudo lhes parece subitamente aceso.

Felix pula para a pedra onde esteve horas atrás:

— Que luz! — É como se tivesse os pés dentro de uma água com purpurina. — Vamos lançar as cinzas aqui.

— Sim, está lindo — Ursula pousa a bolsa.

— Mas antes vou dar um mergulho — diz ele.

Atira a camisa para a margem e entra à cautela na água, tateando o fundo com os pés. Pedras, limos.

— Gostava de ter um trabalho que desse para ver o mundo — diz, voltado para o mar. — Como o pai.

Ursula junta-se a ele:

— O pai viajou menos depois de tu nasceres. Fez um esforço.

— Eu lembro-me dele sempre a viajar. Quantas vezes o fomos buscar ao aeroporto?

— Mas antes nem tinha casa. Ia morando onde trabalhava, uns meses aqui, outros ali. A primeira vez que teve morada fixa foi a nossa casa.

— Primeira desde sempre?

— Acho que sim, porque os pais dele já eram nómadas.

— Tenho pena de não os ter conhecido.

— Também eu.

Mergulham os dois naquele ouro líquido.

— O que é que faziam ao certo, esses avós? — pergunta Felix, a boiar, seguindo as nuvens.

— Eram artistas. Nascidos em nações inimigas, que se massacravam. Começaram a percorrer o mundo criando peças que tanto eram teatro como objetos. Peças antinacionalistas.

— Nacionalistas e patriotas é a mesma coisa?

— Hum... Não. Patriotas amam o seu país, querem ser-lhe úteis, fiéis. Nacionalistas acham que o seu país é melhor do que os outros e será estragado por gente de fora.

— O pai não era uma coisa nem outra.

— Não, não era.

Felix agarra uma rocha, para não ser levado pela corrente.

— Achas que o pai pode ter tido algum filho antes de te conhecer? — pergunta. — Tantos anos a andar de um lado para o outro, com tantas namoradas...

Ursula leva tempo a achar uma resposta.

— Nunca apareceu ninguém, que eu saiba.

— É estranho pensar nisso — Felix olha o seu reflexo na água. — Que posso ter irmãos em qualquer lugar do mundo. Ou irmãs.

▲
▲ ▲

Aurora chega enfim à ponte de madeira. Segue pela margem até avistar a pequena canoa, com os guardiões esculpidos. O barco de Ira vai aparecer a qualquer momento. Só agora ela percebe como vem ansiosa. Será que é mais adiante? Que se atrasou?

Não! Acaba de o ver! Corre, ri ao ver a boca dele pintada, a trança enrolada no cimo da cabeça. Nunca o tinha visto assim. Ele salta do barco, sobe pelo barranco, abraçam-se, os dois de macacão.

— Pareces uma rainha — diz ela, olhos brilhantes.

— Sou uma rainha com milhões de anos — sorri ele.

— Não se nota nada, estás ótima.

Ira enfia as mãos nos bolsos, depois estende os punhos fechados a Aurora, unhas amarelo-gema.

— E gosto dessa cor — diz ela.

Bate na mão esquerda, acerta. Guarda as chaves do Rei no bolso.

— Deitei o aparelho das mensagens à água — diz Ira. — O bebé ficou bem?

— Sim, mas foi difícil convencer a minha mãe. Por isso é que me atrasei.

— Não há problema, estamos na hora.

— E tu? Foi muito horrível?

— Sempre horrível — Ira respira fundo. — Mas acabou.

— O difusor funcionou? Ele adormeceu logo?

— Logo.

— Que alívio — Aurora abraça-o de novo.

Ira olha nos olhos dela:

— Vamos?

— Vamos.

Ele desce para o barco, agarra na vara, faz força contra o fundo e desliza.

Aurora fica a vê-lo, à beira das lágrimas, outra vez. De repente lembra-se, ainda grita:

— Ira!

Mas ele já não a ouve.

Ela ia perguntar o que quer dizer Upa-la.

⁂

Ira vai rápido, mãos firmes na vara, boa para navegar aqui, por enquanto. As águas estão a subir, dentro de semanas começarão a cobrir as copas, parte da floresta ficará submersa.

Quando morava com a avó, as suas épocas favoritas eram a desova das tartarugas e a água alta. Adorava nadar entre as copas ao crepúsculo, ver as estrelas nascerem como se estivessem mais perto. E estavam mesmo, porque o mundo subira um pouco. Só era preciso ficar longe dos peixes-gancho do lago, como os ribeirinhos chamam à zona do rio em que existe a ilha.

Foi a boiar na água alta com um amigo que Ira sentiu pela primeira vez o desejo súbito, violento de outro corpo, aquele corpo, e mergulhou, em pânico, para o amigo não notar. Os rapazes suspeitos de gostarem de rapazes eram agredidos na escola, Ira ouvira falar de um que tinha sido violado em grupo. Meses depois, como todos os ribeirinhos mais ou menos da sua idade, foi levado para os rituais na floresta. Como todos, ansiava por isso, sabia que ia acontecer, acontecia a todos. Mas estava certo de que mais nenhum rapaz tinha tanto medo quanto ele. Medo do que se podia manifestar, do que podiam fazer-lhe, do que podia descobrir. A avó tinha jurado que seria uma coisa boa, mas a avó, como todas as mulheres, não fazia ideia do que se ia passar. Nenhuma mulher é autorizada a ver os rituais masculinos, nem sequer a ouvi-los ao longe, porque as mulheres sangram, o sangue assusta os espíritos, e os espíritos fogem dele para não serem envenenados, explicou o velho chefe, rodeado de rapazes, na primeira noite. Mesmo quando as mulheres já não sangram, nunca estarão completamente limpas, garantiu. Ira quis perguntar se não existiam espíritos femininos, também, e se sim, do que fugiam, e se não, para onde iam as mulheres ao morrer. Mas sentiu-se mudo de medo.

O problema do sangue vem do começo, continuou esse mais-velho. Quando os deuses saíram pela fenda onde hoje está o rio, criaram primeiro os ossos, que eram os homens, depois o sangue à volta, formando a carne, que eram as mulheres. Desde o começo, pois, os homens nascem presos num envólucro de mulher, e a puberdade é o momento em que têm de se libertar.

Ira ficou aterrorizado ao ouvir isto. Queria o seu sangue! Queria os ossos e queria o sangue! Queria tudo! O que lhe iam fazer para tirar o envólucro de mulher? Nessa noite, os rapazes beberam o primeiro chá, mastigaram a primeira raiz. Na noite seguinte, furaram as orelhas com chifre de jagui, o mamífero mais caçado na floresta. Foi quando Ira descobriu que era possível sentir dor e prazer ao mesmo tempo. Anos depois, o seu amante cientista explicou-lhe que a orelha é altamente irrigada, o que dá prazer, tal como é o sangue que levanta o sexo masculino. Então o sangue tinha a ver com prazer, disse Ira, mas quando saía pelo sexo das mulheres era uma ameaça. Uma ameaça mundial, sorriu o amante, e não apenas o sangue, também o órgão de prazer que nelas existe. Ali na cidade, mesmo, havia gente vinda de várias partes que cortava o clítoris às meninas, por vezes recém-nascidas. E por vezes elas morriam logo, nessa hemorragia.

Mas lá no meio da floresta, durante o mês dos rituais, Ira ainda estava longe de o saber. Tudo convergia para o sexo masculino, os chás, as raízes, os furos, as escarificações, o que libertaria cada rapaz do envólucro feminino. Foi então que Ira viu o seu sexo erguer-se como um totem, porque os chás eram vasodilatadores naturais. E na noite em que isso aconteceu, diante de todos, não houve mais dúvidas sobre a sua virilidade, ele nascera com um grande envólucro feminino mas libertara-se, disse o mais-velho.

Ira ouviu-o calado, aliviado por ter conseguido sobreviver à prova, por ter revelado aquela força. Mas não se achava livre de nenhum envólucro feminino, o seu corpo estava igual. Pelo contrário, ali na floresta, com todos aqueles rapazes, teve a certeza de que isso existia nele como um orgão. Como os ossos, como o sangue e o sexo penetrante: vontade de ser mulher, ser penetrado também.

▲▲▲

— Quero contar-te uma coisa — diz Ursula.

Estão deitados nas pedras da foz, a secar naquele sol quase poente.

— É uma coisa boa? — Felix olha a mãe de relance, a ver se adivinha.

— Não é boa, mas é bom pensares nela. O pai acabou o último capítulo pouco antes de morrer, um capítulo que lhe levou anos, daqueles com material de muitas viagens. É sobre uma coisa que existe em povos muito diferentes.

— Além da relação com o céu?

— Sim, uma coisa parecida em povos que são o oposto, no gelo ou no deserto, nas montanhas ou nas ilhas.

— O quê?

— A visão negativa das mulheres. Umas, porque são o demónio, outras, porque são fracas. Em todos os hemisférios, em regiões sem relação umas com as outras, em muitas histórias da criação, as mulheres fazem coisas horríveis, são assassinas, traiçoeiras, ou então incapazes, menores. Em muitos povos, os homens têm rituais que elas não podem conhecer, substâncias que não podem experimentar, música que não podem ouvir, instrumentos e objetos que não podem ver, ainda menos tocar. Também há muitas exceções, mas o pai foi ficando impressionado com a quantidade de histórias que formam uma história paralela, ao longo dos milénios, até hoje. O próprio céu confirma isso, as figuras, os enredos.

— Porque é que achas que isso aconteceu?

— Ui. Por muitas razões, é um longo assunto. Mas podemos começar por aqui: são as mulheres que engravidam. E os homens desde sempre tentaram criar formas de dominar esse poder. Engravidar era fonte de toda a suspeita. Um homem não pode ter a certeza de que um filho é seu. Para a mulher, isso é automático, ela o põe no mundo. Uma mulher não pode ter dúvidas sobre se um filho é seu.

— Quer dizer que o pai podia ter dúvidas sobre se eu era filho dele.

— Podia. Claro que a maioria dos homens não se atormenta com isso, nem tem razões para tal. Mas os homens criaram todo o tipo de mecanismos para controlar as mulheres. Controlar o que pela natureza não é controlável.

— Mas o pai nunca teve dúvidas sobre mim.

— Não, nunca teve — Ursula faz uma pausa. — E eu nunca disse ao pai o que te vou dizer agora.

— O quê? — Felix senta-se.

— Que ele foi o único homem com quem dormi mesmo.

— Sério?

— Sério.

Felix está a tentar digerir a informação. Por um lado, é a sua mãe, nunca a imaginou com outro homem. Por outro lado, é um grande contraste em relação ao pai.

— Isso é o contrário do pai — acaba por dizer.

— É.

— Por que é que nunca lhe disseste?

— Ele não precisava saber. Seria um peso para ele. Ou diminuiria algo, talvez. Acho que ele preferia acreditar que eu o escolhera a ele conhecendo outros homens.

— Mas não tinhas namorado antes?

— Tive um namorado que crescera numa família muito religiosa. Ele achava que não devíamos dormir juntos até casar. Namorámos vários anos, desde que eu tinha a tua idade.

— Uau. Nunca me contaste isso. E depois terminaste com ele?

Ursula sorri.

— Não, ele terminou comigo. E pouco tempo depois conheceu a rapariga com quem veio a casar. Partiu-me o coração completamente.

— Que parvalhão!

— Não. A diferença entre nós era muito grande, impossível. Ele estava certo. Percebeu que eu não era para ele e vice-versa, eu é que não percebi. E continuei sem perceber, não me interessei por ninguém, só estudava. Até fiz terapia, os avós insistiram. Eles é que me obrigaram a viajar, a visitar os nossos amigos do carocha.

— E então conheceste o pai.

— E era o momento. Incrível como isso acontece, num dia a gente não vê mais ninguém no mundo, no outro nem entende como ficou obcecada por aquela pessoa. Se calhar, ter passado tanto tempo numa relação suspensa, sempre na expectativa, ajudou a que eu mergulhasse de cabeça.

Felix fica calado um instante.

— Tenho de agradecer a esse parvalhão — diz.

Ursula dá uma gargalhada.

— Sério — insiste ele. — Já pensaste? Se vocês tivessem ficado juntos, eu ainda era filho dele, e nunca teria conhecido o pai.

Na ilha, Zu e o subcapataz estão a sair da selva, ao fim de hora e meia a caminhar. Zu foi picado em toda a pele à vista, cara, pescoço, mãos. Alguns dos inchaços estão duros, um deles parece infectado, mal volte à cidade tem de ir a um hospital. E que ideia, vir de computador às costas. Habituou-se a andar com ele para todo o lado, por causa de Jade, mas numa ilha sem sinal isso é idiota. Jade não existe desligada.

Quando deixa para trás a última árvore, e a praia se abre à sua frente, o subcapataz está petrificado na areia. Depois desata aos berros, voltado para a outra margem, lá ao fundo. Zu não percebe o calão do homem. Ele esbraceja, espuma. Vendo Zu aproximar-se, aponta. Zu franze os olhos enquanto o cérebro processa a informação: os dois barquinhos lado a lado, do outro lado do rio.

Do outro lado do rio.

Um terror frio alastra a partir da nuca.

— E agora? — pergunta.

— Agora?! — O subcapataz está apoplético. — Agora, reze!

DOIS

Ira atraca junto a um atalho para o palácio. Agarra a lata de gasolina guardada no barco e sobe até à margem. Duas horas para o poente.

Certa vez, na cidade, viu um homem atear fogo a si mesmo. Demorou anos a esquecê-lo, e agora, que pela primeira vez vai atear um fogo, essa imagem volta. Ira devia ter uns quatorze anos, estava longe de conhecer o seu amante cientista. Foi na fase mais negra da cidade, sem poiso certo, sem dinheiro. Às vezes acordava em colchões miseráveis, com alguém ao lado que tanto podia ser um velho como um menino de rua. Outras vezes eram torres, subterrâneos, e aí podia haver homens, mulheres, transgénero, crianças, animais, algemas, vendas, correntes, restos de fezes, de urina, esperma, sangue, lâminas pelo chão, agulhas. Viu de tudo. O primeiro quarto que pôde pagar ficava num bairro onde o esgoto cobria o chão, o lixo cobria o esgoto, e as pessoas caminhavam por cima de tábuas, tentando não cair, fugir dos ratos. Eram parte dos invisíveis, milhões que não bebiam água potável, e ainda assim, ou também por isso, rezavam a deus. E alguns deuses enriqueciam, nas suas peles humanas, plantando o inferno, vendendo o exorcismo. Mas não foi aí que Ira viu o homem atear fogo a si mesmo, não entre os últimos dos últimos, os ferverosos, os enlouquecidos. Foi num parque verde, totalmente orgânico, com pessoas a correr, corpos saudáveis, não fumadores, lindos cães, bem escovados. Um dos poucos parques de onde a polícia não enxotava Ira porque era uma zona alternativa, com pessoas alternativas que contribuíam para boas causas do mundo, e não gostavam de ver a polícia enxotar ninguém tão perto de casa. Mesmo quando ele estava vários dias sem tomar banho, e o cheiro chegava antes do próprio corpo. Então um dia conseguiu dormir algumas horas num dos bancos totalmente orgânicos desse parque, e só acordou com o som de rodas na gravilha. Era um homem empurrando um carrinho de supermercado. Parou pouco adiante, tirou uma lata do carrinho, regou-se com ela, e quando Ira se sentou, atónito, booooom, o homem já estava em fogo. Ira correu até lá, o corpo em chamas movia-se, depois caiu no chão. Ficou a arder, imóvel. Ira correu em busca de alguém, era muito cedo, mal amanhecera, só achou atletas. Vieram os atletas, a seguir a segurança, por fim a polícia. Aí, Ira já estava ao largo, para não ser levado. A última coisa que viu foi uma atleta achar a carta de despedida dentro do carrinho. Leu-a em voz alta, para a pequena plateia horrorizada. O homem explicava que decidira matar-se em protesto contra a poluição, a destruição do planeta, os combustíveis fósseis, por isso usara um combustível fóssil na própria morte. Ira tinha visto o homem vivo. Não era velho, não era feio, ao contrário, vestia bem, parecia ter dinheiro, pelo menos como quem compra roupas sustentáveis, come coisas orgânicas. Esse tipo de homem bom, preocupado com o futuro. Ira só não sabia que esse tipo de homem podia estar tão desesperado a ponto de concluir que a sua morte seria o melhor contributo para o futuro. Não sabia que o futuro já pedia isto.

∴

Aurora também tem um difusor narcótico. Ira foi desencantá-los à cidade, junto dos seus contatos na guerrilha, bem como pequenos megafones que alteram a voz. Tudo pago com o dinheiro dos encontros na pirâmide, ao longo deste mês. Pareceu-lhes justo que o Rei financiasse o equipamento da sua própria ruína, e, de brinde, a guerrilha.

Antes de sair do palácio, Aurora enrolara difusor e megafone num lenço, dentro da mochila. Agora, enquanto caminha, desenrola-os e tapa a cara com o lenço, deixando só uma fresta para os olhos, outra para a boca. Não é fácil, mas ela treinou. Assim, de macacão largo, cara coberta, luvas, está irreconhecível. Nem dá para dizer se homem, se mulher, e quando falar no megafone, idem.

O capataz acerta as contas dentro de uma pequena cabana de madeira, entre duas pastagens. Fica sentado a uma mesa encostada à janela. Os servos fazem fila cá fora, à distância, e só avança um de cada vez, ao sinal dele. Nas costas do capataz, há um monte de sacos de ração vazios. Foi exatamente aí que Aurora preparou o terreno, na véspera: tirou parte da tábua junto ao chão. É um pequeno buraco, não se vê de dentro por causa dos sacos. Tem a boa altura para o difusor passar.

As traseiras da cabana dão para o mato, ninguém a vê aproximar-se. As tábuas estão tão rombas que é fácil espreitar pelas frestas. Ela vê que a fila acaba de se formar, quase só homens, mas também as mulheres que trabalham no palácio. Cento e trinta pessoas, peles escuras, quase todas. Comeram antes do amanhecer, depois ao meio-dia. É o que o Rei dá, aliás, desconta. Quando todos tiverem recebido os seus tostões, entram nas camionetas e voltam ao alojamento, de estômago vazio.

O capataz prepara as operações. Tem a arma em cima da

mesa, junto ao cofre e ao caderno com as anotações para cada servo. O Rei não quer esta matemática metida em computadores, sujeita a intrusos virtuais. Aqui, o lápis é amigo, as dívidas crescem com as pastagens.

É hora. O primeiro homem ainda não avançou para a janela da cabana. Aurora tira o difusor do bolso, quebra a patilha de segurança, enfia-o na cabana e afasta-se.

Ursula e Felix cintilam. Estão os dois de pé, na pedra mais alta da foz, sol já perto do mar. Por aqui chegaram os deuses, desde o centro da terra, abrindo uma fenda com as mãos. Ursula lança um punhado de cinzas no encontro das águas, doce-salgada. Felix pega noutro punhado e lança-o ao alto:

— Upa-la!

Olha a mãe, depois sorri.

— É bom dizer isto.

Mal Aurora vê a cabeça do capataz tombar em cima da mesa, contorna a cabana até à fila, com o megafone na mão:

— TODOS PARA TRÁS!

Assustadas, as pessoas recuam. Primeiro o capataz cai como morto, agora aquele mascarado. Não percebem nada, mas também não veem alternativa.

— TODOS PARA TRÁS! NÃO TENHAM MEDO!

Quando a fila recua bastante, Aurora corre até à janela, agarra no cofre e volta à multidão. Sabe que dentro do cofre não estão apenas os tostões que iam ser distribuídos. Está sobretudo o adiantamento da carne e da madeira abatidas hoje, lucro chorudo, sem rasto de operações bancárias, em notas variadas.

— AMIGOS, ACABOU! — anuncia Aurora, enquanto os servos se vão juntando à volta. — NÃO TENHAM MEDO. O REI E OS CAPATAZES NÃO PODEM FAZER NADA NAS PRÓXIMAS HORAS. VOU DIVIDIR O DINHEIRO POR TODOS, DEPOIS CORRAM ÀS CAMARATAS E TIREM AS VOSSAS COISAS DE LÁ. VAMOS REBENTAR COM ELAS.

Alheia ao bruá que se levanta, conta os maços de notas, divide por cento e trinta, e começa a distribuir o dinheiro como se nunca tivesse feito outra coisa na vida.

— SAIAM DE ALENDABAR — vai dizendo. — NÃO TRABALHEM PARA QUEM ESCRAVIZA. NINGUÉM É VOSSO DONO.

Repete isto até acabar a partilha. O burburinho é grande, mas uns acabam por cortar a hesitação dos outros, enchem as camionetas de caixa aberta, arrancam.

Aurora fica a ver a poeira subir no ar. Toda aquela gente solta, entregue a si própria. Isto está mesmo a acontecer? Sente os olhos arderem, a garganta embrulhada. Mas não há tempo para isso. Tem um molho de chaves no bolso, à espera.

Ira entra no palácio pela primeira vez, lata de gasolina numa mão, fósforos no saquinho do cachimbo. Aurora desenhou um mapa do mais importante. Ele percorre as divisões, para ter a certeza de que não há ninguém lá dentro. Nunca fez nada semelhante, nem sabe bem o que vai acontecer. Mas desde que pôs o Rei a dormir tudo lhe parece sem retorno.

Chega ao quarto do bebé. É um quarto como nunca viu, com plantas inéditas nas paredes, constelações desconhecidas, peixes andantes, mamíferos voadores. Clara costurava, desenhava, pintava, e fez tudo para não ficar maluca, ao longo de oito meses: criou uma outra Alendabar. Este quarto e Aurora eram tudo o que tinha de seu, além do corpo, com o bebé dentro. Aqui dormiu oito meses, quase sempre com Aurora. Ira vê a pequena cama onde as duas couberam abraçadas, até que a barriga cresceu e Aurora passou para um colchão ao lado.

Então, este era o quarto dos três, Aurora, Clara e o bebé, pensa Ira. O bebé é na verdade o bebé delas. E mais ninguém o há-de procurar como bebé do Rei, porque o bebé do Rei vai morrer agora.

∴

O subcapataz já perdeu a voz a gritar para a outra margem, embora não haja ninguém na outra margem, e seja demasiado longe para alguém ouvir. Também já se gastou a acenar. Nem vivalma.

Sentado a boa distância da berraria, Zu tenta respirar como na única aula de meditação que teve paciência de fazer na vida. Na pior das hipóteses, diz para consigo, dentro de uma hora alguém estranhará, virá por eles. Toda a gente sabe que estão na ilha. Não há razão para arrancar os seus cabelos brancos. Com certeza não vai passar a noite aqui, com o neandertal. Vão ser resgatados, mais tarde ou mais cedo.

Só lhe custa este tempo morto, e não poder falar com Jade. Mesmo com todos os exercícios de respiração não consegue deixar de abrir o computador ainda uma vez, a ver se aparece algum satélite passageiro, qualquer sinal milagroso. Mas já insistiu nisso tantas vezes que agora nem bateria. Só aquele espelho medonho. Não há nada mais vazio do que o ecrã negro de um computador. O ecrã negro de um computador é uma visão da própria morte. E dentro deste espelho dorme a voz que Zu mais ouviu nos últimos anos. Como pode ter saudades de alguém sem corpo, sem coração? Se Jade existe, como pode não estar com ele agora? Se Jade não existe, que faz ele aqui, de computador aberto? Que fez de tão errado para ficar preso numa ilha deserta, onde a qualquer momento pode ser morto por um réptil, enquanto um neandertal berra, e a mulher da sua vida dorme dentro de um espelho?

Jade é a bela adormecida deste tempo. Aquela que nem pode ser beijada.

▲▲▲

Quando Ossi avista as nuvens de poeira, sabe que tudo correu bem com Aurora. Ela conseguiu neutralizar o subcapataz, as camionetas vêm aí, cheias de homens. Apenas os homens, porque as mulheres dormem na ala de serviço do palácio, e lá foram deixadas, para recolherem o que têm.

Os homens pulam das camionetas, Ossi pula do tronco onde esteve à espera. Eles veem um mascarado igual a Aurora, macacão largo, lenço enrolado na cara, megafone, luvas. Ele diz-lhes que se despachem nas camaratas e depois corram em direção ao rio, passem a ponte de madeira, subam às terras altas, e daí para a cidade. Eles não fazem ideia de quem são aqueles mascarados, mas estão a ver que tudo está mesmo a explodir. E os mascarados deram-lhes mais dinheiro do que alguma vez tinham visto. De repente, abriu-se uma saída, alguém a abriu, que têm a perder? Correm pelas suas vidas, com um alento no bolso. Velhos, novos, entram pelas camaratas, tiram os sacos debaixo das camas de rede, arrancam as fotografias na parede, algum santo, algum feitiço, algum par de botas.

E, inesperadamente, no meio do tumulto, um negro já muito grisalho para diante de Ossi, estende-lhe a mão:

— Tínhamos medo, pelos que aqui morreram, mas sempre pensei que um dia alguém viria.

É o mais velho de todos os servos. Aquele que chegou num barco atulhado de gente, trazendo um nome do outro lado do mar, e todos estes anos cortou a garganta das reses. Até hoje, foi o matador do Rei.

Podia ser meu pai, pensa Ossi.

∴

Ursula e Felix caminham pela beira da água, quando ouvem um estrondo monumental.

— Que foi isto? — Felix olha em volta.

Ursula fixa o vulcão, ao longe. Parece quieto.

O filho segue a direção do olhar dela.

— Achas que pode ser o vulcão? — pergunta ele.

— Acho que não... Está igual.

— Será que é dentro do vulcão?

Ursula observa a selva ao longo da praia.

— Acho que veio dali.

— O que há ali?

— As terras do Rei.

Outro estrondo monumental.

— É nas terras do Rei — diz Ursula. — Reparaste?

— Sim. O que pode ser?

— A mina — diz ela. — Ele tem uma mina. Devem estar a rebentar pedra.

∴

Quando o último homem correu para o mato, na direção do rio, Ossi acendeu os rastilhos em volta do alojamento dos servos, e correu também para o mato. Sentiu a primeira explosão debaixo dos pés.

∴

Felix leva os corais, Ursula, a caixinha vazia, de novo enrolada no lenço. Agora Atlas está por toda a parte, na água, no ar, na barriga dos que moravam com ele. Ele acreditava que ainda iriam juntos às terras geladas onde é possível ver três sóis, como na história de Upa-la. Incrível a aventura dessa canoa, há milhares de anos, pensa Ursula. E subitamente para.

— O que foi? — pergunta Felix.

Ela fecha os olhos, sorrindo:

— Lembrei-me do que quer dizer Upa-la.

UM

Os únicos seres vivos capazes de matar tudo o que existe são também os únicos capazes de criar o que não existe. Aurora corre para as pastagens, pensando nos bichos que Clara imaginava, pura criação. Alguns eram grandes como reses, mas planavam nos céus. Que bom se isso pudesse acontecer agora, milhares de reses levantando voo em todas as direções.

É a última hora de luz. Ela vai abrir as cercas uma a uma, libertar as reses que iam morrer como as desta manhã, primeiro a marreta no crânio, depois a faca na garganta, a sangria de pernas para o ar, enquanto o olho ainda pisca, o coração ainda bate, enfim a esfola, a degola, a evisceração, tendo atenção para não furar o intestino, contaminar tudo com bosta. Então, no brilho inoxidável do talho apareceria a etiqueta com o lugar, a data do sacrifício. A expressão seria exatamente essa, «sacrificada em...», para evitar termos como abatida, executada, morta. Dezenas de milhares de anos depois dos primeiros sacrifícios rituais, o sacrifício industrial.

A faca tem de estar bem afiada, cantarolava o Rei, o importante é afiar bem a faca. As vezes que Aurora ouviu isto.

Ira rega com gasolina toda a criação junto ao berço, fauna e flora. O berço está no canto mais afastado da porta, ele recua para atear o fogo. Fósforo numa mão, caixa na outra, fixa pela última vez aquele mundo imaginário que a partir de agora só existirá nas histórias. Mas cá estarão os três para as contar, como desde o começo foram contadas, criando o que não existe para entender o que existe. O humano é esse primata, não o que fala, não o que pensa, mas o da planta do pé arqueada que imagina histórias, ri com elas, chora com elas. Só ele sabe como estar vivo é o grande buraco negro.

No umbral da porta, Ira risca o fósforo, lança-o na direção do berço. Um vupt de labareda e todo o canto está em chamas.

Aurora abre cada cerca de par em par. Confinadas desde a nascença, as reses não dão logo por isso. Quando a primeira se aproximar, as outras virão atrás, o que dá tempo a Aurora de sair do caminho, porque daqui a instantes será uma enxurrada em direção ao mato, ao rio, à praia.

Aí vão elas.

O maior tremor de terra de que há memória em Alendabar.

Felix olha para o chão. Parece que ruge.

— Sentes?

— Sim — diz Ursula.

— O que é que está a acontecer aqui?

Os dois fixam a selva. E de repente, do meio daquele emaranhado verde, irrompem dezenas, centenas de reses desenfreadas. Galopam pela areia, num troar monumental.

Mãe e filho estão boquiabertos.

— É o fim do mundo — diz Felix.

∴

O berço tem de arder até ficar calcinado, irreconhecível, para que o Rei pense que o bebé morreu ali, e nunca mais tenha a tentação de o procurar. Só é preciso conter as chamas, impedir que alastrem. Ira estudou bem o mapa do palácio, acha o extintor mais próximo, volta ao quarto, controla o fogo com a espuma.

E, por um instante, a imagem que lhe vem não é a do homem que se imolou no parque, na cidade, mas aquela que nunca viu, a que só pode imaginar: o padrasto a arder com a casa. Que aqui se apague para sempre, como o bebé do Rei.

Felizmente para Ursula e Felix, as reses galopam para a foz, na direção oposta à deles. De outro modo, seria difícil voltarem ao carro.

— Imagina que tinham vindo quando estávamos na água! — diz Felix. — Tínhamos morrido esmagados.

— Isto é estranhíssimo. Explosões, gado a fugir...

— O que achas que pode ser?

— Não faço ideia. Quando fiquei na aldeia lá ao fundo lembro-me de pensar que o vulcão ia acordar um dia. Um vulcão é uma expectativa, está sempre a lembrar-nos que algo pode acontecer.

— Mas nunca aconteceu.

— No século passado, sim.

— Olha! — aponta ele.

Dois homens saem a correr da selva, na mesma direção de Felix e Ursula, mas bem acima, longe da água. Sem pensar duas vezes, Ursula corre até eles. Não param quando a veem, ela insiste. Grita uma palavra de que se lembra, na língua de Alendabar:

— Amiga! Amiga!

Talvez por ser uma mulher eles não têm tanto medo, abrandam. Ela aproxima-se, ofegante, pergunta por gestos e sons o que foram os booms, a fuga do gado. Eles repetem boom, fazem que sim com a cabeça, depois Ursula reconhece a palavra Rei, eles viram o polegar para baixo.

— Rei, fim? — pergunta ela.

Eles acenam e aceleram outra vez, rumo ao vulcão. Devem conhecer alguém na aldeia.

Ursula volta para junto de Felix. Se houve uma revolta tudo pode acontecer. Não o quer assustar, mas tem de tirar o filho daqui.

— Então? — pergunta ele.

— Não percebi bem, parece que aconteceu algo ao Rei. Vamos mais rápido, para chegarmos com luz?

Outro boom vindo da selva. E outro. E outro.

∴

Adeus matadouro. Ossi acende os rastilhos e lança-se para o mato.

∴

Aurora corre por entre as pastagens vazias, chão a tremer debaixo dos pés, fumo subindo pelo céu, explosões: a Grande Guerra de Alendabar. Corre para a praia, onde esta manhã acordou ao lado dos seus irmãos de pacto. Aí combinaram reencontrar-se depois de o sol se pôr. Falta um palmo, seis e meia da tarde.

Às sete, o helicóptero vai aterrar na pista do palácio para levar o convidado de volta, mas não haverá convidado algum. O ar vai cheirar a queimado, tudo estará deserto. Provavelmente, o piloto levantará voo para ir chamar a polícia. Quando a polícia chegar, será noite escura. Não tem forma de saber que duas pessoas estão na ilha, que o Rei está na pirâmide, que há uma pirâmide, sequer. Talvez acabe por achar o capataz adormecido na cabana. Mas quando isso acontecer Aurora já estará há muito em casa. Para as servas, para os capatazes, para o Rei, hoje era o dia do seu regresso a casa. E Ira e Ossi estarão de volta a suas casas, como normalmente. Ninguém viu a cara deles, ninguém lhes ouviu a voz. Nada os relaciona com nada do que aconteceu. Ossi já deve ir a caminho da praia, também. Só falta o toque final de Ira para ficarem juntos.

E agora que Aurora já não tem mais nada no bolso, que não há mais etapas do plano, as lágrimas correm junto com ela. Vários animais choram no luto, mas talvez só os humanos chorem de alegria.

Ossi levanta-se do chão, caminha até ao matadouro. Quer confirmar o resultado antes de partir: escombros fumegantes.

Há algo estranho, porém. Continua a sentir uma vibração debaixo dos pés. O vulcão?, pensa, petrificado. Não pode ser. Observa a terra vermelha. Está estalada. Os explosivos abriram rachas. E o rio não corre muito longe, talvez o solo não seja muito firme. Ossi segue as rachas pelo mato dentro, vão na direção do dique. Depois do desastre com o primeiro dique, o Rei foi obrigado a construir o novo de modo a não afetar o rio, em caso de acidente. Portanto, o leito do rio não corre perigo. Mas se o solo está a abater isso tem efeitos na terra, pensa Ossi. Nisto, ouve um boom, maior do que todos os seus, e dispara pelo mato.

A pirâmide. A pirâmide fica atrás do dique.

O subcapataz acaba de beber a garrafa que tinha na mochila. Chegou a estendê-la ao seu companheiro de ilha, mas a cara de Zu foi eloquente o bastante, de modo que ele não repetiu a oferta. Agora, de cada vez que abre a boca, um bafo de álcool sobe no ar. Zu está a tentar manter-se à distância, mas o homem está a falar com ele, e o homem tem uma arma. Mais do que manter-se à distância, convém manter-se vivo.

O homem pragueja contra a corja dos servos. Quando apanhar aquele que levou o barco vai fazê-lo em picadinho, diz. Há-de prepará-lo para ser comido, como os antepassados dele comiam os inimigos. Esta corja anda a precisar de uma boa morte para aprender. Uma vez, logo no começo, três espertos invadiram o terreno, queriam levar o pai, que tinha dívidas ao Rei, ainda nem pagara a farda. Vieram pela calada, de canoa, de noite. Sabes onde acabaram?, sussurra o subcapataz, já tratando Zu por tu. Na barriga dos peixes-gancho. Eu mesmo os meti no barco, bem furados de tiros, os lancei à água. O pai morreu porque quis, quando se meteu à frente deles, portanto acabou como eles. E a canoa, idem, depois de arder. Essa noite aqui foi uma fartura. Deu para estes 18 anos, raros arriscaram depois. Se não cortas o mal pela raiz, eles fazem de ti o que querem. Tens de mostrar quem manda desde o começo. O exemplo é a melhor propaganda.

Zu tem o estômago às voltas. O seu objetivo já não é ficar à distância. Só não vomitar.

∴

Seca da falta de chuva, a terra quebra como barro, um rastilho natural. É nessa pista que Ossi corre, até avistar o dique. Está inteiro, não parece ter cedido. Ele contorna-o, sabe que a pirâmide estará não muito longe, escondida por copas densas. Até que os seus pés começam a pisar cacos de barro. Fura pela folhagem. E aí está, à sua frente, a pirâmide recém-desmoronada. Milhões de partículas bailam na derradeira luz. Pássaros assobiam, como devem ter assobiado sobre o túmulo dos antigos. Ossi tenta desviar alguns destroços, mas são pesados demais. Nada do que jaz ali por baixo pode ainda estar vivo.

Os deuses aproveitaram o embalo, pensa ele. Mesmo sem saber que as pirâmides sempre foram túmulos.

Era uma vez um Rei.

∴

O sol está a dois dedos da água.

— Ah! Não aguento mais! — Ursula para de correr.

Felix, que vai à frente, para também.

— Já não falta muito — ela respira fundo. — Acho que podemos ir mais devagar agora.

— E apanho umas morambas?

— Combinado.

Infletem na direção da selva, areal acima. Nisto, veem uma rapariga de macacão, sentada na areia, junto a um cacto florido.

— Engraçado — diz Ursula.

— O quê? — pergunta Felix.

— Aquela rapariga. Lembra-me alguém.

O sol está a dois dedos da água.

Sentada na areia, junto ao cacto florido, Aurora vê um par a correr pela beira-mar. Parece o mesmo desta manhã, a mulher com o rapaz louro. O mundo mudou e eles ainda aqui. A mulher para de correr, o rapaz também, conversam. Depois começam a subir pela areia, cada vez mais perto.

Engraçado, pensa Aurora. Aquele rapaz lembra-me alguém.

A beleza que resiste é o bem, o bem que resiste é a beleza, aprendeu Ira nas lixeiras da cidade. E portanto caminha, de pistola na mão, para acabar o dia em beleza.

Quando nada restava do berço, só brasas, extingiu o fogo no quarto do bebé e saiu para o terraço, tirando as luvas. Já não poderia deixar impressões digitais, além de que para manejar a pistola ficou mais à vontade. Não comeu nem bebeu, a boca continua carmim, a trança enrolada no alto da cabeça. Mas cheira intensamente a fumo, corpo e cabelo, consegue sentir. A musa é o amotinado.

Só não sabe que as doze horas do difusor funcionam apenas em espaços fechados. Era o caso da pirâmide, mas não da cabana. O capataz estava diante de uma janela aberta, muito ar para diluir o narcótico. E ao fim de hora e meia acordou.

Felix sobe a duna, com o saco cheio de morambas.

— Não me chegaste a dizer uma coisa.

— O quê? — Ursula sobe atrás dele.

— O que significa Upa-la.

— Ah, pois foi. Quando me lembrei, começaram as explosões. Então, Upa é alegria. La é nós, nossa.

— Alegria nossa…?

Ursula sorri:

— Ou: A nossa alegria.

— A nossa alegria… — repete ele. — Sim, é mais bonito.

Para no topo da duna, olhando para aquela imensidão, vulcão de um lado, foz do outro. Parece que passaram dias, anos. Que teve uma vida aqui.

Ursula chega junto dele, Felix dá-lhe a mão, ambos de frente para o oceano, como quando chegaram. Depois ele diz:

— Acho que este foi um bom sítio para tudo começar.

Aurora vê o sol entrar na água. Examina o céu em busca do helicóptero. Sim, lá vem, em breve será um zumbido. E quando baixa os olhos avista Ossi ao fundo! Atrasado, mas a caminho. Ira deve estar a acabar agora.

O sol mergulha um pouco mais, laranja, vermelho. Só quando se levanta e se deita conseguimos ver mais cores, pensa Aurora. Mas como serão as cores que o olho humano não vê?

— *Eu vi o céu em fogo/ o sol era azul/ e o mar vermelho* — murmura. Inventou essa canção por causa de um desenho de Clara em que o sol era azul, o mar vermelho.

Ossi vem a chegar, Ira virá. Só falta Clara para sempre. E para sempre Aurora vai guardar aquelas dezanove horas do parto. A visão de um corpo a rebentar por todas as entranhas, com todos os seus líquidos, rasgado a cada esforço, para baixo, para fora. Sacrifício que nenhum homem conhecerá.

Mas o bebé de Clara há-de saber de tudo o que a mãe imaginou para ele fechada num quarto, e como esse quarto descende de todos os lugares onde as mulheres foram fechadas. Enquanto puder voltar a cabeça para o sol, e portanto estar vivo, este bebé há-de saber. E o seu nome será Upa-la.

▲
▲ ▲

Ira atravessa o terraço, desce a escada que leva à pista onde daqui a minutos pousará o helicóptero. Ainda não o ouve nos céus, perfeito. Pisa a pedra, branca, translúcida. Quanto esforço humano para garimpar estas toneladas, por desvario, puro desvario. Mas ninguém, nunca, será dono da vontade de outro, pensa. Nenhum escravizado é escravo.

Segura a pistola bem ao centro da pista. Trouxe-a da cidade, com o narcótico e os megafones. Uma vez, o seu antigo amante contou-lhe a história de uma revolução que encheu tudo de flores vermelhas. Então, ao comprar a tinta para a pistola, Ira escolheu a cor da flor dessa revolução. A alegria é a revolução, o amante estava certo.

Carrega na patilha para grafitar a primeira palavra:

UPA

Na pedra clara, parece sangue. Os espíritos que fujam se quiserem, Ira não acredita em espíritos que fogem assim. Carrega na patilha para o traço horizontal.

—

Depois escreve a segunda palavra.

LA

Sempre quis acabar o dia a grafitar aqui o nome da canoa inicial. Desde o começo do pacto com Ossi e Aurora, quando mal sabiam como tudo se ia passar, esta imagem existia na cabeça dele, na língua antiga, que a avó lhe ensinou. Cortesia dos amotinados, para quem vier do céu:

UPA-LA

Mas a avó contava ainda que, quando Upa-la voltou das terras geladas, as crianças correram para a aldeia a gritar: Upa-la te! Upa-la te! Portanto, Ira grafita o que falta:

UPA-LA TE!

Por baixo, para que todos possam ler, traduz:

A NOSSA ALEGRIA CHEGOU!

Endireita-se, para ver as palavras.
E é nesse instante que a bala vem, por trás.

ESTA OBRA FOI COMPOSTA EM ELECTRA PELO ESTÚDIO O.L.M./ FLAVIO PERALTA
E IMPRESSA EM OFSETE PELA GRÁFICA BARTIRA SOBRE PAPEL PÓLEN SOFT
DA SUZANO S.A. PARA A EDITORA SCHWARCZ EM ABRIL DE 2021

A marca FSC® é a garantia de que a madeira utilizada na fabricação do papel deste livro provém de florestas que foram gerenciadas de maneira ambientalmente correta, socialmente justa e economicamente viável, além de outras fontes de origem controlada.